MODERN *Spanish* PROSE AND POETRY

An Introductory Reader

EDITED BY

Gustave W. Andrian

Trinity College

THE MACMILLAN COMPANY, NEW YORK

COLLIER–MACMILLAN LIMITED, LONDON

First Printing

Library of Congress Catalog Card Number: 64–11032

THE MACMILLAN COMPANY, NEW YORK
COLLIER–MACMILLAN CANADA, LTD., TORONTO, ONTARIO

PRINTED IN THE UNITED STATES OF AMERICA

ACKNOWLEDGMENTS

THE EDITOR is indebted to the following people and publishers for permission to use the material reproduced:

For RUBÉN DARÍO: *Poesías Completas,* Aguilar S. A. de Ediciones (Madrid, 1954)

For ANTONIO MACHADO: Don Manuel Alvarez de Lama

For JULIO CAMBA: Don Francisco Szigriszt

For PÍO BAROJA: Editorial Biblioteca Nueva (*Obras Completas,* 1948), and his heirs.

AZORÍN: JOSÉ MARTÍNEZ RUIZ (Azorín)

JACINTO BENAVENTE: D. Leopoldo López-Casero y Muñoz, and Aguilar, S. A. de Ediciones (*Obras Completas,* Madrid, 1946)

JUAN RAMÓN JIMÉNEZ: D. Francisco Hernández-Pinzón Jiménez; Editorial Biblioteca Nueva (*Tercer Antolojía Poética,* Madrid, 1957); Editorial Orion (*Verso y Prosa para Niños,* Mexico, D. F., 1956)

MIGUEL DE UNAMUNO: Don Fernando de Unamuno

RAMÓN GÓMEZ DE LA SERNA: Doña Luisa Sofovich, vda. de D. R. Gómez de la Serna

FEDERICO GARCÍA LORCA: The Estate of Federico García Lorca, and New Directions, Publishers

CAMILO JOSÉ CELA: The author, and Taurus Ediciones, S. A. (*Mesa Revuelta,* 1957)

ANA MARÍA MATUTE: Ediciones Destino, S. L. (*Historias de la Artámila,* Barcelona, 1961)

PEDRO ESPINOSA BRAVO: The author

MIGUEL DELIBES: The author

PREFACE

THIS COLLECTION of Spanish prose and poetry of the twentieth century is designed for use in the second or third semester of college courses, as soon as the student has acquired a knowledge of the basic vocabulary and structure of the language. Its aim is to provide him as early as is practicable with intellectually mature works whose length and simplicity of style obviate the need for abridgment, adaptation, or simplification: the poems, plays, essays, and stories included in this book are presented in their original, unadulterated form. (The only change made by the editor is the elimination of the accent mark from such words as *fui, fue,* etc., according to current practice.) A large portion of the material has never appeared before in college textbooks.

Some of the greatest poets, writers, thinkers, and critics of the century, from the beginning to the present day, will be recognized among the names listed in the Contents; study of their works should enhance language learning on any level. The inclusion of more than one genre provides variety of language and style, sustained interest, and flexibility of use. All the genres may be introduced even when the book is not used in its entirety. Where an author is represented by more than one selection—and most of them are—the shorter and easier selections generally come first.

To facilitate and accelerate the student's comprehension of the readings, words and idioms are supplied at the foot of the page, as well as in the end vocabulary. The exercises, which include *cuestionarios* and varied drill on grammar, idioms, comprehension, and word building, are designed to have the student review as frequently as possible the authors' language and style. Some of the poems, particularly the shorter ones, as well as dialogue from the plays and sketches, could be assigned for memorization. For the most part, the introductions, the first two of which contain brief mention of modernism and the Generation of '98, lean more towards a general evaluation of the merits and style of the author than to biography; any elaboration of these introductions or of any

PREFACE

other material in the book is left to the discretion of the teacher.

The editor wishes to express his thanks to his colleagues, Pilar and Arnold Kerson, and to his good friend, Professor Gustavo Correa of Yale University, for their valuable suggestions. He is particularly indebted to his wife, Margaret P. Andrian, for her tireless assistance in the preparation of the manuscript.

Hartford, Connecticut *G. W. A.*

CONTENTS*

* *The order of the Contents is chronological. Multiple selections of a given author follow a generally graded progression.*

A NOTE ON SPANISH VERSIFICATION

WHEREAS IN ENGLISH POETRY each line has a definite number of metrical feet, the meter of Spanish verse depends upon a definite number of syllables, so that a line is designated as being of eight syllables (octosyllabic), of eleven syllables (hendecasyllabic), etc. As the student reads or recites poetry, he must be careful to take into account the following:

A If a word ends in a vowel and precedes another word beginning with a vowel, the two vowels are run together to form one syllable:

1 2 3 4 5 6 7
cuando‿esperamos saber

B If the word at the end of a line has the stress on the last syllable, like *saber*, an extra syllable is added to the count; thus, the line of poetry shown in (A) is not considered to be seven syllables, but eight.

C Likewise, if the last word of a line has the stress on the antepenult (third syllable from the end), one syllable is subtracted; thus,

antes de llegar a Córdoba

is counted as an octosyllabic line.

There are two kinds of rhyme in Spanish: *consonance*, which is the identity of the last stressed vowel and any letters that follow it (*besaba-brotaba; cantar-mar*), and *assonance*, which is the identity of the last stressed vowel, and of a following unstressed vowel, if there is one. Any consonants coming after the stressed vowel need not be identical, as they must in the case of consonance. An example of assonance in **o** would be: *algodón, voz, flor, sol,* etc.; in **e-a**: *vereda, sierras, serena,* etc. With octosyllabic verse, assonance occurs only in the even lines.

RUBÉN DARÍO 1867–1916

TOWARD THE END *of the nineteenth century a new literary school, called modernism, began to take shape in both Spanish America and Spain. Inspired by French poetic doctrines—Parnassianism and symbolism—and also by their own early and classical poetry, the modernists sought above all perfection and refinement of form and content. In contrast to the literary realism of the times, their poetry revealed an exquisiteness and sensuousness of tone, colorful and musical nuances, delicate impressionism, and complete freedom of metrical forms and rhythmic patterns. The poet in whom the innovations were most completely and definitely established was Rubén Darío, often called the leader of modernism. As one critic puts it, Darío opened the door to contemporary Spanish poetry.*

Born in Nicaragua, Rubén read all the prose and poetry he could get his hands on as a child, and it was not long before this poeta niño *became well known throughout Central America. Journalism was to be his profession, and he spent his adult years as a correspondent for* La nación, *of Buenos Aires. He was thus able to visit and live in many countries, including Spain. While on a lecture tour of the United States, he came down with pneumonia, and died on February 6, 1916, shortly after his return to Nicaragua.*

Rubén Darío's fame rests primarily on three works. Azul *(1888) is a collection of short stories and some poems, mostly dealing with fantastic and idealistic impressions. The style of his prose in this work, with its delicate and fine shading and its precision of expression, already shows signs of the modernist literary revolution. In 1896,* Prosas profanas *(Nonsacred Poems:* prosa *was used by some early poets to refer to poems, usually religious in nature, written in Spanish as opposed to Latin) established Darío as the leading exponent of modernism. In this work, he achieves brilliant effects of sound and music through various combinations of new and old forms and cadences. A refined sensuousness, colorful evocations of the exotic past, verses sculpted with the purity of marble, are other characteristic notes.*

In his Cantos de vida y esperanza *(1905), physical love as a theme of inspiration yields to love and pride of all that is Spanish—race, history, literature, and art. There is optimism, as the title suggests, faith in life, and Christianity. At the same time, the duality of the poet's nature is revealed in poems that express his melancholy, doubt, and pessimism (e.g.,* Lo fatal*).*

*Of the poems that follow, two are from an early work (*Rimas*, 1887), two from* Prosas profanas, *and the last three from* Cantos de vida y esperanza.

I. *Rima VII*

The meter and assonance (in e-a*), the rhythm and content, all suggest the traditional Spanish ballad.*

Llegué a la pobre cabaña
en días de primavera.
La niña triste cantaba,
la abuela hilaba [1] en la rueca.[2]

5 —¡Buena anciana, buena anciana,
bien haya [3] la niña bella,
a quien desde hoy amar juro [4]
con mis ansias [5] de poeta!—

La abuela miró a la niña,
10 la niña sonrió a la abuela.
Fuera, volaban gorriones [6]
sobre las rosas abiertas.

Llegué a la pobre cabaña
cuando el gris otoño empieza.
Oí un ruido de sollozos [7]
15 y sola estaba la abuela.

—¡Buena anciana, buena anciana!—
Me mira y no me contesta.

Yo sentí frío en el alma
20 cuando vi sus manos trémulas,
su arrugada y blanca cofia,[8]
sus fúnebres tocas [9] negras.

Fuera, las brisas errantes
llevaban las hojas [10] secas.

[1] hilar to spin.
[2] rueca distaff.
[3] bien haya blessed be.
[4] jurar to swear; *word order:* juro amar.
[5] ansia yearning, longing.
[6] gorrión sparrow.
[7] sollozo sob.
[8] arrugada y blanca cofia wrinkled white hair covering.
[9] fúnebres tocas funereal clothes.
[10] hoja leaf.

II. *Rima XIII*

Note the emphasis given to each stanza by changing the assonance in each one.

—Allá está la cumbre.[11]
¿Qué miras? —Un astro.
—¿Me amas? —¡Te adoro!
—¿Subimos? [12] —¡Subamos!

—¿Qué ves? —Una aurora [13] 5
fugitiva y pálida.
—¿Qué sientes? —Anhelo.[14]
—Ésa es la esperanza.

—¡Qué alientos [15] de vida!
¡Qué fuegos de sol! 10
¡Qué luz tan radiante!
—¡Ése es el amor!

—¿Qué ves a tus plantas? [16]
—Un profundo abismo.
—¿Tiemblas? —Tengo miedo . . . 15
—¡Ése es el olvido! [17]

Pero no tiembles ni temas:
bajo el sacro [18] cielo azul,
para el que ama no hay abismos,
porque tiene alas [19] de luz. 20

III. *Para una cubana*

This and the following sonnet from Prosas profanas *are* sonetos de arte menor, *that is,* sonetos *in which the verses do not exceed eight syllables, instead of the customary eleven syllables.*

[11] cumbre summit.
[12] subimos present tense for the future, so common in conversational style.
[13] aurora dawn.
[14] anhelo yearning, longing.
[15] aliento breath.
[16] plantas feet.
[17] olvido oblivion.
[18] sacro sacred.
[19] ala wing.

Miré, al sentarme a la mesa
bañado [20] en la luz del día
el retrato de María,
la cubana-japonesa.

5 El aire acaricia [21] y besa,
como un amante lo haría,
la orgullosa [22] bizarría [23]
de la cabellera espesa.[24]

Diera un tesoro [25] el Mikado
10 por sentirse acariciado
por princesa tan gentil,[26]

Digna [27] de que un gran pintor
la pinte junto a una flor
en un vaso de marfil.[28]

IV. *Mía*

Note how the simple pronoun mía, *because of the feeling with which the poet uses it, becomes so exalted a symbol of possession that it is converted to a proper noun, the name of his beloved.*

Mía: así te llamas.
¿Qué más harmonía?
Mía: luz del día;
Mía: rosas, llamas.[29]

5 ¡Qué aromas derramas [30]
en el alma mía,
si sé que me amas,
Oh Mía!, ¡oh Mía!

Tu sexo fundiste [31]
10 con mi sexo fuerte,
fundiendo dos bronces.

[20] bañar to bathe.
[21] acariciar to caress.
[22] orgulloso proud.
[23] bizarría loftiness.
[24] cabellera espesa thick (head of) hair.
[25] tesoro treasure.
[26] gentil elegant.
[27] digna worthy.
[28] marfil ivory.
[29] llama flame (*of love*).
[30] derramar to pour out.
[31] fundir to fuse; to cast (bronze).

Yo, triste; tú, triste . . .
¿No has de ser, entonces,
Mía hasta la muerte?

V. *Los tres reyes magos* [32]

—Yo soy Gaspar. Aquí traigo el incienso.[33]
Vengo a decir: La vida es pura y bella.
Existe Dios. El amor es inmenso.
¡Todo lo sé por la divina Estrella!

—Yo soy Melchor. Mi mirra [34] aroma todo. 5
Existe Dios. Él es la luz del día.
¡La blanca flor tiene sus pies en lodo [35]
y en el placer hay la melancolía!

—Soy Baltasar. Traigo el oro. Aseguro
que existe Dios. Él es el grande y fuerte. 10
Todo lo sé por el lucero [36] puro
que brilla en la diadema de la Muerte.

—Gaspar, Melchor y Baltasar, callaos.[37]
Triunfa el amor, y a su fiesta os convida.[38]
¡Cristo resurge,[39] hace la luz del caos [40] 15
y tiene la corona de la Vida!

VI. *Un soneto a Cervantes*

Devoting his life to the cult of art, the poet in this sober sonnet finds company and consolation for his solitude in the great art of Cervantes.

Horas de pesadumbre [41] y de tristeza
paso en mi soledad.[42] Pero Cervantes

[32] Los tres reyes magos The Three Wise Men (*Kings*).
[33] incienso incense.
[34] mirra myrrh.
[35] lodo mud.
[36] lucero star; light.
[37] callaos (callad + os) *Familiar imperative plural of* callarse to be silent. *Note the dropping of the* d.
[38] convidar to invite.
[39] resurgir to be resurrected.
[40] caos chaos.
[41] pesadumbre sorrow, affliction.
[42] soledad solitude, loneliness.

es buen amigo. Endulza [43] mis instantes
ásperos,[44] y reposa mi cabeza.

5 Él es la vida y la naturaleza,[45]
regala un yelmo [46] de oros y diamantes
a mis sueños errantes.
Es para mí: suspira,[47] ríe y reza.[48]

Cristiano y amoroso caballero
10 parla [49] como un arroyo [50] cristalino.
¡Así le admiro y quiero,

viendo cómo el destino
hace que regocije [51] al mundo entero
la tristeza inmortal de ser divino!

VII. *Lo fatal* [52]

The pessimism and the torment of the poet are intensified by the fact that the poem was written at a time when he had been exalting the world of the senses.

Dichoso [53] el árbol que es apenas sensitivo,
y más la piedra dura, porque ésta ya no siente,
pues no hay dolor más grande que el dolor de ser vivo,
ni mayor pesadumbre que la vida consciente.[54]

5 Ser, y no saber nada, y ser sin rumbo [55] cierto,
y el temor de haber sido y un futuro terror . . .
Y el espanto [56] seguro de estar mañana muerto,
y sufrir por la vida y por la sombra [57] y por

[43] endulzar to sweeten; to soften.
[44] áspero harsh, bitter.
[45] naturaleza nature.
[46] regala un yelmo he gives a helmet. *The "helmet of gold and diamonds" symbolizes artistic perfection.*
[47] suspirar to sigh.
[48] rezar to pray.
[49] parlar to speak.
[50] arroyo brook.
[51] regocijar to delight; to cheer. *The subject of the verb is the last line.*
[52] lo fatal fatality.
[53] dichoso happy, fortunate.
[54] consciente conscious, of the senses.
[55] rumbo course, direction.
[56] espanto fear.
[57] sombra shade, darkness.

lo que no conocemos y apenas sospechamos,[58]
y la carne que tienta [59] con sus frescos racimos [60] 10
y la tumba que aguarda [61] con sus fúnebres ramos,[62]
¡y no saber adónde vamos,
ni de dónde venimos! . . .[63]

VIII. *A Margarita Debayle* [64]

Darío's love of fantasy, idealistic impressions, and the exotic are portrayed in this beautiful poem in consonantal rhyme.

Margarita, está linda la mar,
Y el viento
Lleva esencia sutil de azahar; [65]
Yo siento
En el alma una alondra [66] cantar: 5
Tu acento.
Margarita, te voy a contar
Un cuento.

Éste era [67] un rey que tenía
Un palacio de diamantes, 10
Una tienda [68] hecha del día
Y un rebaño [69] de elefantes,
Un kiosco [70] de malaquita,[71]
Un gran manto de tisú,[72]
Y una gentil princesita, 15

[58] sospechar to suspect.
[59] tentar to tempt.
[60] racimos clusters (*of grapes*).
[61] aguardar to await.
[62] ramos bunches (*of flowers*). *Note the juxtaposition of the concepts of love and death in these two sonorous verses.*
[63] *In the last two stanzas, the accumulative effect of the poet's overwhelming grief is stylistically brought about by the constant repetition of the conjunction* and, *which appears twelve times in these verses.*
[64] *The daughter of Dr. Debayle, a French physician who lived in Nicaragua and was a great friend and admirer of the poet.*
[65] azahar orange flower.
[66] alondra lark.
[67] éste era there was once.
[68] tienda tent.
[69] rebaño herd.
[70] kiosco pavilion.
[71] malaquita malachite, *a green carbonate of copper.*
[72] manto de tisú cloak of gold tissue.

Tan bonita,
Margarita,
Tan bonita como tú.

Una tarde la princesa
20 Vio una estrella aparecer;
La princesa era traviesa [73]
Y la quiso ir a coger.

La quería para hacerla
Decorar un prendedor,[74]
25 Con un verso y una perla,
Y una pluma [75] y una flor.

Las princesas primorosas [76]
Se parecen mucho a ti:
Cortan lirios,[77] cortan rosas,
30 Cortan astros. Son así.

Pues se fue la niña bella,
Bajo el cielo y sobre el mar,
A cortar la blanca estrella
Que la hacía suspirar.

35 Y siguió camino arriba,[78]
Por la luna y más allá;
Mas lo malo es que ella iba
Sin permiso del papá.

Cuando estuvo ya de vuelta
40 De los parques del Señor,
Se miraba toda envuelta [79]
En un dulce resplandor.

Y el rey dijo: "¿Qué te has hecho? [80]
Te he buscado y no te hallé;
45 Y ¿qué tienes en el pecho,
Que encendido se te ve?" [81]

[73] traviesa mischievous.
[74] prendedor brooch.
[75] pluma feather.
[76] primoroso exquisite, graceful.
[77] lirio lily.
[78] camino arriba upward.
[79] envuelta wrapped up, enveloped.
[80] ¿Qué . . . hecho? (hacerse, to become) What has become of you?
[81] Que . . . ve that seems to be all aglow. te *refers to the person concerned* (*the Latin dative of interest*).

La princesa no mentía.[82]
Y así, dijo la verdad:
"Fui a cortar la estrella mía
A la azul inmensidad." [83] 50

Y el rey clama: [84] "¿No te he dicho
Que el azul no hay que tocar?
¡Qué locura! ¡Qué capricho!
El Señor se va a enojar." [85]

Y dice ella: "No hubo intento; [86] 55
Yo me fui no sé por qué;
Por las olas [87] y en el viento
Fui a la estrella y la corté."

Y el papá dice enojado:
"Un castigo [88] has de tener: 60
Vuelve al cielo, y lo robado [89]
Vas ahora a devolver." [90]

La princesa se entristece
Por su dulce flor de luz,
Cuando entonces aparece 65
Sonriendo el Buen Jesús.

Y así dice: "En mis campiñas [91]
Esa rosa le ofrecí:
Son mis flores de las niñas
Que al soñar piensan en Mí." 70

Viste [92] el rey ropas brillantes,
Y luego hace desfilar [93]
Cuatrocientos elefantes
A la orilla [94] de la mar.

La princesita está bella, 75
Pues ya tiene el prendedor

[82] mentir to lie.
[83] *Read* Fui a la azul inmensidad a cortar . . .
[84] clamar to exclaim.
[85] enojarse to become angry.
[86] intento malice intended.
[87] ola wave.
[88] castigo punishment.
[89] lo robado (robar to steal) *object of* devolver.
[90] devolver to return.
[91] campiñas fields.
[92] vestir to wear; to put on.
[93] desfilar to pass in single file; to parade.
[94] orilla shore, edge.

En que lucen con la estrella,
Verso, perla, pluma y flor.

Margarita, está linda la mar,
80 Y el viento
Lleva esencia sutil de azahar:
Tu aliento.
Ya que lejos de mí vas a estar,
Guarda, niña, un gentil pensamiento
85 Al que [95] un día te quiso contar
Un cuento.

EXERCISES *Poems I–IV*

I. *Cuestionario* (*the Roman numerals refer to the poems*).

1. ¿Cuándo llegó el poeta a la cabaña? (I)
2. ¿Por qué vino? (I)
3. ¿Qué oyó al volver a la cabaña? ¿Por qué? (I)
4. ¿Es impresionista el poema? (I)
5. ¿Qué ve la amada desde la cumbre? (II)
6. ¿Por qué no debe ella temblar ni temer? (II)
7. ¿Cómo define el poeta el amor? (II)
8. ¿Qué miró el poeta el sentarse a la mesa? (III)
9. ¿Cómo es María? ¿Le parece a usted tan real como cualquier otra persona? (III)
10. ¿Cómo debe pintarla un gran pintor? (III)
11. ¿Qué significa Mía para el poeta? (IV)
12. ¿Está feliz o triste el poeta? (IV)

II. *Complete the following by selecting the appropriate word or words in parentheses.*

1. La niña vive con su anciana (*madre, abuela, rueca*). (I)
2. El poeta volvió a la cabaña en (*primavera, invierno, otoño*). (I)
3. Sintió frío en el alma cuando vio las (*hojas secas, tocas negras*). (I)
4. La muchacha ve una aurora fugitiva y (*rosa, pálida*). (II)
5. Tiene miedo porque ve un profundo (*abismo, dolor*). (II)

[95] **al que** of the one who.

6. El poeta está (*escondido, preocupado, bañado*) en la luz del día. (III)
7. María tiene la cabellera (*espesa, rubia, falsa*). (III)
8. Debe ser pintada en un vaso de (*agua, marfil*). (III)
9. Mía derrama (*dolor, aromas*) en el alma del poeta. (IV)
10. Has de ser mía hasta (*la mañana, la muerte*). (IV)

III. *Translate the words in parentheses into Spanish. (For further drill, substitute different subjects for the verbs; likewise, the statements may be converted to questions.)*

1. (*I arrived*) a la pobre cabaña en primavera.
2. La niña (*smiled*) a la abuela.
3. (*I heard*) un ruido de sollozos.
4. ¿Qué (*did he feel*) cuando (*he saw*) sus manos trémulas?
5. ¡(*Let's go up*)!
6. ¿Por qué (*do you tremble*)?
7. (*I sat down*) a la mesa.
8. (*He would give*) un tesoro por princesa tan gentil.
9. (*I do not know*) si me amas.
10. (*You are to*) ser mía hasta la muerte.

IV. *Translate the following sentences into Spanish.*

1. The grandmother was alone in the cabin.
2. The girl died when the gray autumn came.
3. What a beautiful dawn!
4. There is no fear for the one who loves.
5. I would do everything for you.
6. Say that you will be mine.

EXERCISES *Poems V–VIII*

I. *Cuestionario.*

1. ¿Quiénes son los tres reyes magos? ¿Qué traen? (V)
2. ¿Qué vienen a decir? (V)
3. ¿Es profano el poema? (V)
4. ¿Cómo ayuda Cervantes al poeta? (VI)
5. ¿Por qué admira el poeta a Cervantes? (VI)
6. ¿Cómo es la vida para el poeta? (VII)

7. ¿De qué tiene miedo? (VII)
8. ¿Cómo es distinto el hombre de la piedra o del árbol? (VII)
9. En el cuento, ¿qué hace la princesa traviesa? (VIII)
10. ¿Con quién se compara a Margarita? (VIII)
11. ¿Por qué está enojado el papá? (VIII)
12. ¿Por qué no tiene la princesa que devolver lo robado? (VIII)

II. *Complete the following sentences by selecting the appropriate word from the list below. (There are more words than spaces.)*

tristeza	entero	estrella	alegría
existir	castigo	dichoso	muerto
dolor	caos	parecerse	en casa

1. Jesucristo hace la luz del ________. (V)
2. Los reyes magos aseguran que ________ Dios. (V)
3. El poeta pasa horas de ________ en su soledad. (VI)
4. El árbol es ________ porque no es sensitivo. (VII)
5. No hay ________ más grande que el de ser vivo. (VII)
6. El poeta tiene el espanto seguro de estar mañana ________. (VII)
7. La princesa ________ a ti. (VIII)
8. Fue a cortar una ________. (VIII)
9. El papá dice enojado: "Un ________ has de tener." (VIII)

III. *Translate the following sentences into Spanish.*

1. The little princess looks [is] beautiful.
2. Life is pure and God is the light of day.
3. There is no greater grief than life itself.
4. We suffer for what we do not know.
5. What has become of the king?
6. These flowers are for those who think of me.

IV. *Using the words below, give a short summary in Spanish of* A Margarita Debayle.

cuento	estrella	permiso	devolver
princesa	coger	enojado	castigo

ANTONIO MACHADO Y RUIZ 1875–1939 *and* THE GENERATION OF '98

A SECOND MOVEMENT IN SPAIN, *which developed parallel with the movement of modernism, was characterized by a dissatisfaction with what its representatives considered to be the sad state of their country, or as Azorín put it, with "la dolorosa realidad española." Spain's disastrous defeat in the Spanish-American War of 1898 only added fuel to the burning cries of protest, and the distinguished writers who probed the country's national weaknesses are referred to by the name of the Generation of '98. Although both movements originated from a desire for a change, modernism was primarily concerned with a change in the concept of poetry, whereas the Generation of '98 went far beyond this to an examination of the national conscience and to the very roots of the spiritual life. Although their literature was often pessimistic and even bitter in tone, these writers were seeking to create a better Spain.*

The leading poet of the Generation of '98 was Antonio Machado. He was born in Sevilla but spent most of his life in Castilla. For some years he served as a teacher of French in the ancient city of Soria, where his wife's death, a tragic blow from which he never fully recovered, took place. During the Civil War he remained loyal to the Republican cause, and died shortly before the end of that terrible conflict. Today his reputation is as great as, if not greater than, it has ever been.

Machado's best known collection of poems is called Campos de Castilla, *1912. Like the man ("mysterious and silent" in the words of Rubén Darío) and the countryside of Castilla, which he describes so often, the poetry of Machado is sober, austere, melancholy, simple in its unadornment, quite unlike that of the modernists. (The relative scarcity of metaphors in his poetry is noticeable.) Although his critical attitude, especially towards his country's* abulia, *or apathy, and his style place him among the writers of the Generation of '98, we must keep in mind that Machado was not a social historian; he was a poet, as you will see, intensely human, sensitive, personal, philosophical. He deals with eternal themes, such as time, death, and love.*

You will also find that one of the most recurrent themes in the poems that follow is remembrance of the past. According to Machado, however, one does not remember the past, one dreams it. The past experience is considered as something fluid; modified by time and by one's whole conscience, it becomes converted into a form of dream. Thus, in Machado's conception, memory is evoked only by el sueño.

I. *Proverbios y cantares*

The nature of these little poems is suggested by the title under which they are written.

A.

Nuestras horas son minutos
cuando esperamos saber,
y siglos [1] cuando sabemos
lo que se puede aprender.

B.

5 De lo que llaman los hombres
virtud, justicia y bondad,
una mitad es envidia,[2]
y la otra no es caridad.[3]

C.

Es el mejor de los buenos
10 quien [4] sabe que en esta vida
todo es cuestión de medida: [5]
un poco más, algo menos . . .

D.

Ayer soñé [6] que veía
a Dios y que a Dios hablaba;
15 y soñé que Dios me oía . . .
Después soñé que soñaba.

E.

Bueno es saber que los vasos
nos sirven para beber;
lo malo [7] es que no sabemos
20 para qué sirve la sed.

[1] siglos centuries.
[2] envidia envy.
[3] caridad love, charity.
[4] quien the one who.
[5] medida measure.
[6] soñar to dream.
[7] lo malo the bad thing; that which is bad.

II.

One of Machado's best known poems. Note its simplicity of language and its visual effect.

La plaza tiene una torre,[8]
la torre tiene un balcón,
el balcón tiene una dama,
la dama una blanca flor.
Ha pasado un caballero 5
—¡quién sabe por qué pasó!—,
y se ha llevado [9] la plaza,
con su torre y su balcón,
con su balcón y su dama,
su dama y su blanca flor.[10] 10

III.

With regret and even a touch of bitterness, the poet "dreams" his lost youth, a youth "sin amor"; nevertheless, he is anxious to repeat this dream.

La primavera besaba
suavemente [11] la arboleda,[12]
y el verde nuevo brotaba [13]
como una verde humareda.[14]

Las nubes iban pasando 5
sobre el campo juvenil . . .
Yo vi en las hojas temblando [15]
las frescas lluvias de abril.

Bajo ese almendro [16] florido,
todo cargado [17] de flor 10

[8] torre tower.
[9] llevarse to take; to carry away.
[10] *Literally, of course, what the knight took away was not the square, etc., but rather, perhaps, the image of all that is tangibly expressed in the first four verses.*
[11] suavemente gently, softly.
[12] arboleda grove.
[13] brotar to bud; to burst forth.
[14] humareda smoke.
[15] temblando *Read:* yo vi temblando . . .
[16] almendro almond tree.
[17] cargado loaded, full.

—recordé—, yo he maldecido [18]
mi juventud [19] sin amor.

Hoy, en mitad de la vida,
me he parado a meditar . . .
15 ¡Juventud nunca vivida,
quién te volviera a soñar! [20]

IV.

This is one of Machado's most beautiful and moving poems. The beloved appears so real in the dream that the poet wonders if she is not still present.

Soñé que tú me llevabas
por una blanca vereda,[21]
en medio del campo verde,
hacia el azul de las sierras,[22]
5 hacia los montes azules,
una mañana serena.

Sentí tu mano en la mía,
tu mano de compañera,
tu voz de niña en mi oído [23]
10 como una campana [24] virgen
de un alba [25] de primavera.
¡Eran tu voz y tu mano,
en sueños, tan verdaderas! . . .
Vive, esperanza,[26] ¡quién sabe
15 lo que se traga [27] la tierra! [28]

V.

This poem is on the death of Machado's wife Leonor, to whom he had been married for only three years. Note the delicate restraint,

[18] maldecido *Past participle of* maldecir to curse.
[19] juventud youth.
[20] quién te volviera a soñar if I could only dream you again.
[21] vereda path.
[22] sierras mountain ranges.
[23] oído ear.
[24] campana bell.
[25] alba dawn.
[26] esperanza hope.
[27] tragar(se) to swallow.
[28] *I.e., perhaps she is still alive.*

and how the words move lightly and silently through the poem, like Death through the house.

Una noche de verano
—estaba abierto el balcón
y la puerta de mi casa—
la muerte en mi casa entró.
Se fue acercando [29] a su lecho [30] 5
—ni siquiera [31] me miró—,
con unos dedos [32] muy finos,
algo muy tenue [33] rompió.
Silenciosa y sin mirarme,
la muerte otra vez pasó 10
delante de mí. ¿Qué has hecho?
La muerte no respondió.
Mi niña quedó tranquila,
dolido [34] mi corazón.
¡Ay, lo que la muerte ha roto [35] 15
era un hilo [36] entre los dos!

VI.

In this "parable," we find the theme of appearance and reality, and the poet concludes that life is a dream.

Era un niño que soñaba
un caballo de cartón.[37]
Abrió los ojos el niño
y el caballito no vio.
Con [38] un caballito blanco 5
el niño volvió a [39] soñar;
y por la crin [40] lo cogía . . .

[29] se fue acercando = se acercó poco a poco.
[30] su lecho her bed.
[31] ni siquiera not even.
[32] dedos fingers.
[33] tenue thin, delicate.
[34] dolido aching, grieving.
[35] roto *past participle of* romper to break.
[36] hilo thread.
[37] cartón pasteboard, cardboard.
[38] con soñar (*next line*) con to dream about.
[39] volver a *plus infinitive* to do (*something*) again.
[40] crin mane.

¡Ahora no te escaparás! [41]
Apenas lo hubo cogido,
10 el niño se despertó.
Tenía el puño [42] cerrado.
¡El caballito voló! [43]
Quedóse el niño muy serio
pensando que no es verdad
15 un caballito soñado.
Y ya no volvió a soñar.

Pero el niño se hizo mozo [44]
y el mozo tuvo un amor,
y a su amada le decía:
20 ¿Tú eres de verdad o no?
Cuando el mozo se hizo viejo
pensaba: Todo es soñar,[45]
el caballito soñado
y el caballo de verdad.
25 Y cuando vino la muerte,
el viejo a su corazón
preguntaba: ¿Tú eres sueño?
¡Quién sabe si despertó!

VII. *Hastío* [46]

Boredom is a common emotional note in the dreams. The clock and water are used in many of Machado's poems as symbols of monotonous time and of man's temporal anguish.

Pasan las horas de hastío
por la estancia [47] familiar,
el amplio cuarto sombrío
donde yo empecé a soñar.

5 Del reloj arrinconado,[48]

[41] escaparse to escape; to flee.
[42] puño fist.
[43] volar to fly away; to be gone.
[44] mozo young man.
[45] soñar a dream.
[46] hastío tedium, boredom.
[47] estancia (*sitting*) room.
[48] arrinconado in a corner. *The phrase goes with the subject of the sentence,* el tictac acompasado, *line 7.*

que en la penumbra clarea,[49]
el tictac acompasado [50]
odiosamente golpea.[51]

Dice la monotonía
del agua clara al caer: 10
un día es como otro día;
hoy es lo mismo que ayer.

Cae la tarde. El viento agita [52]
el parque mustio [53] y dorado . . .
¡Qué largamente [54] ha llorado 15
toda la fronda marchita! [55]

VIII.

This beautiful poem is one of many concerning Soria and Castilla, most of them bitter in tone. Note, however, that there is a contrast between present decay and past glory. Pick out the words and images that evoke this contrast.

¡Soria fría, *Soria pura,*
cabeza de Extremadura,[56]
con su castillo guerrero [57]
arruinado, sobre el Duero;
con sus murallas roídas [58] 5
y sus casas denegridas! [59]

¡Muerta ciudad de señores
soldados o cazadores; [60]
de portales con escudos

[49] que . . . clarea which lights up in the darkness.
[50] acompasado rhythmic, measured.
[51] odiosamente golpea hatefully ticks away.
[52] agitar to stir.
[53] mustio y dorado melancholy and golden.
[54] qué largamente for how long a time.
[55] fronda marchita withered foliage.
[56] *Coat of arms of Soria, on the Duero river. Extremadura, in the Middle Ages, referred to any part of Castilla that bordered on enemy territory.*
[57] guerrero warlike.
[58] roídas crumbling.
[59] denegridas blackened (*by age*).
[60] cazadores hunters.

10 de cien linajes hidalgos,[61]
y de famélicos galgos,[62]
de galgos flacos y agudos,[63]
que pululan [64]
por las sórdidas callejas,
15 y a la medianoche ululan,
cuando graznan las cornejas! [65]

¡Soria fría! La campana
de la Audiencia [66] da la una.
Soria, ciudad castellana
20 ¡tan bella! bajo la luna.

EXERCISES *Poems I–IV*

I. *Cuestionario (the Roman numerals refer to the poems).*

1. ¿Dónde está la dama? (II)
2. ¿Qué hizo el caballero? (II)
3. ¿Qué adjetivos y sustantivos señalan la primavera? (III)
4. ¿Qué edad tiene el poeta? (III)
5. ¿Qué quiere volver a soñar? (III)
6. ¿Qué evoca el poeta? (IV)
7. ¿Cómo eran la voz y la mano de la amada? (IV)
8. ¿Dónde está la amada? (IV)

II. *State whether the following are true or false.*

1. El sueño es un tema común en la poesía de Machado.
2. No hay plazas en los pueblos de España.
3. El caballero no hizo caso a la dama que estaba en el balcón.
4. La primavera trae recuerdos de la juventud.
5. El poeta se alegra de que su juventud haya sido sin amor.
6. El poeta soñó que su amada le llevaba por una blanca playa.

III. *In the following sentence, substitute each subject-object pair in parentheses. Then repeat with different tenses of the verb.*

[61] linajes hidalgos noble families.
[62] famélicos galgos ravenous greyhounds.
[63] agudos gaunt.
[64] pulular to swarm. *Note the lyrical effect of the alliteration. Cf. below, line 15,* ulular to howl.
[65] graznan las cornejas the eagle owls croak.
[66] Audiencia courthouse.

La dama tiene una blanca flor. (*damas-flores; yo-caballo; nosotros-dos camas; tú-manos*)

IV. *Do the same things for the following sentence as you did in Exercise III.*

Ayer soñé que veía a Dios. (*él-su hermano; nosotros-nuestra madre; ellos-un perro*)

V. *Translate the following sentences into Spanish.*

1. I don't know what can be done (what one can do).
2. The bad thing is that he doesn't like poetry.
3. There is a woman sitting on the balcony.
4. She has a flower in her hand.
5. It rains a lot in spring.
6. He never saw her again.
7. I felt her hand in mine.
8. She has a child's voice.

EXERCISES *Poems V–VIII*

I. *Cuestionario* (*the Roman numerals refer to the poems*).

1. ¿Quién entró en casa del poeta? ¿Cuándo? (V)
2. ¿Vino la muerte por el poeta? (V)
3. ¿Qué ha hecho la muerte? (V)
4. ¿Con qué sueña el niño? (VI)
5. ¿Piensa el niño que lo soñado es verdad? (VI)
6. ¿Ha pasado el niño toda la vida en sueño? (VI)
7. En el poema, ¿para qué sirve el tictac del reloj? (VII)
8. ¿Hay otro símbolo para el hastío? (VII)
9. ¿Cuál es el estado actual de Soria? (VIII)
10. ¿Como aparece Soria al final del poema? (VIII)

II. *Translate the words in parentheses.*

1. La muerte (*was approaching*) su casa.
2. Sin (*looking at me*), la muerte pasó delante de mí.
3. (*What*) la muerte ha roto era un hilo entre los dos.
4. El niño abrió (*his*) ojos.
5. El niño (*became*) mozo.

6. (*Scarcely*) lo hubo cogido, el niño se despertó.
7. Pasan las horas de hastío (*through*) el cuarto.
8. Hoy es (*the same*) que ayer.
9. La campana (*strikes*) la una.
10. Ciudad (*so*) bella bajo la luna.

III. *Translate the following sentences into Spanish.*

1. The door of my house was open.
2. I saw death behind me.
3. I do not know what it was looking for.
4. Do you dream of horses?
5. He never visited Soria again.
6. I began to think that life is a dream.
7. The clock is in the corner of the room.
8. The poet says that Soria is a dead city.

JULIO CAMBA 1884–1962

JULIO CAMBA *was not only the most distinguished Spanish humorist of the twentieth century, but also Spain's most widely traveled journalist. He got an early start when he left his native Galicia at the age of thirteen to emigrate to Buenos Aires, hidden, so the story goes, in the hold of the ship. His career as a newspaperman began in Buenos Aires, but came to an early end, for when he was barely sixteen years old, he was deported to Spain—as a "dangerous anarchist," according to another story! Back home, Camba resumed his chosen profession and spent the rest of his life writing for a large number of Spanish and Spanish American newspapers. In his capacity as a journalist, Camba's assignments took him all over the world, including two lengthy visits to the United States, but most of his time was spent in Europe. After his last year in New York, he lived in Spain from 1931 until his death.*

Julio Camba's contribution to Spanish literature consists of a formidable number of crónicas, *the humorous and satirical short articles which he originally wrote for various newspapers, but which have been published in book form. Two volumes are devoted to the United States:* Un año en el otro mundo *(1917), and* La ciudad automática *(1931). The method of this keen observer of the world scene consisted of reducing to the absurd the endless contrasts of life and the illogical relationships among human beings, which his clarity of vision laid bare, by means of an almost completely precise, logical mechanism. Satire is the basis of his work, and among his favorite devices are exaggeration and caricature.*

Camba's satire, however, is not vicious; on the contrary, his is a tongue-in-cheek attitude, and his numerous sketches are characterized by good taste and respect for the dignity of man. Nor is the satire frivolous; behind the comic lies the serious note, such as the author's preoccupation with the state of his own country (see Las ciudades españolas *and* En la planta baja*). Ideologically, if not chronologically, Camba must be placed alongside the writers of the Generation of '98.*

You will find that the penetrating portraits of individuals, based on generalized nationalistic traits, or a sketch like Los estados engomados *are as fresh and alive today as they were a generation or two ago. The spontaneous, personal, and conversational style of these* crónicas *is still able to establish an engaging rapport between the author and his readers.*

Los estados engomados[1]

Se ha dicho que el francés es un hombre muy condecorado y que come mucho pan. El americano, a su vez,[2] es un hombre sin condecoraciones y que masca[3] mucha goma.

Mascar goma: he aquí el gran vicio nacional de los Estados Unidos
5 de Norteamérica. Los americanos mascan goma así como[4] los chinos fuman opio. La goma de mascar es el paraíso[5] artificial de este pueblo. En el tranvía[6] o en el ferrocarril yo he visto a veces frente a mí 15 ó 20 personas en fila[7] abriendo y cerrando la boca, como si fueran peces, y con una expresión beatífica en los ojos. Esta
10 expresión respondía[8] al gusto que experimentaban mascando goma.

El año pasado, los americanos han mascado goma por valor[9] de 30 millones de dólares. Es decir, que han gastado en mascar muy poco menos de lo que[10] un pueblo como España gasta en comer. La cifra es realmente asombrosa,[11] porque, si bien[12] hay personas
15 que usan una goma nueva para cada rato de masticación, hay, en cambio, otras que se guardan la goma mascada y la remascan otra vez y otra más, haciéndola durar semanas enteras. Cuando se tiene poco dinero, es preciso estirar[13] la goma, y aprovecharla[14] mientras dé de sí.[15]

20 La goma de mascar es una goma perfumada y sumamente[16] blanda que se vende en forma de pastillas.[17] Las familias pobres, sin embargo, yo creo que compran neumáticos[18] viejos y que los mascan en común; esto es, que el padre y la madre y los hijos y las muchachas se sientan todos alrededor del neumático y que le meten el
25 diente[19] simultáneamente. Un neumático de automóvil, utilizado en esta forma, puede durarle a una familia todo el año.

Yo no sé si ustedes han oído hablar de la mandíbula[20] americana, esta mandíbula prominente, de la que se envanecen[21] los americanos,

[1] engomados gummed.
[2] a su vez in his turn.
[3] mascar to chew.
[4] así como just as.
[5] paraíso paradise.
[6] tranvía trolley car.
[7] en fila in a row.
[8] responder to correspond.
[9] por valor to the amount.
[10] menos de lo que less than.
[11] asombrosa amazing.
[12] si bien although.
[13] estirar to stretch out.
[14] aprovecharla to take advantage of it.
[15] dé (*from* dar) de sí it lasts. *Camba puns on* estirar *to* stretch, *and* dar de sí to stretch out (to last).
[16] sumamente very.
[17] pastillas lozenges, tablets.
[18] neumáticos tires.
[19] le meten el diente take a bite out of it.
[20] mandíbula jaw.
[21] se envanecen (de) are proud (of).

considerándola un signo de gran energía. Pues, para mí, la mandíbula americana se forma en fuerza de [22] mascar goma. 30

No quiero entrar en detalles sobre la manera americana de masticar; pero sí advertiré [23] que los americanos jamás se esconden ni se cohiben [24] para la masticación. Hasta hay quien [25] considera que el acto de mascar goma es un acto lleno de poesía.

Todo el mundo masca goma en América, los ricos y los pobres, 35 los negros y los blancos y los amarillos, los americanos de origen inglés o francés y los germano-americanos. Y aquí es donde aparecen la utilidad y la trascendencia social y política de la goma de mascar. No tan sólo [26] el hábito de mascar goma constituye algo común para las diferentes razas que pueblan [27] los Estados Unidos, algo 40 que iguala [28] entre ellos a los americanos de procedencias [29] más diversas, y que los diferencia, al mismo tiempo, de los ciudadanos de otros países, sino que, poco a poco, la masticación va creando [30] unos rasgos fisionómicos [31] típicamente americanos, entre los que predomina la mandíbula, como he dicho antes. Si en el porvenir llega 45 a [32] existir un tipo americano tan característico como lo [33] son hoy el tipo inglés o el francés o el español, los americanos podrán decir que, para formarlo, se han gastado en goma millones y millones de dólares. Este país va adquiriendo cohesión a fuerza de goma. Según las estadísticas [34] del ministerio de Comercio, es [35] por valor de 30 50 millones de dólares la cantidad de goma que se echa cada año en el *melting pot* o crisol de las razas. Los Estados Unidos, como pueblo, puede decirse que están pegados con goma. Son los Estados Unidos con Goma o los Estados Engomados.

EXERCISES *Los estados engomados*

I. *Cuestionario.*

1. ¿Cuál es el gran vicio nacional de los Estados Unidos?
2. ¿Dónde mascan goma los americanos?

[22] en fuerza de by dint of.
[23] pero sí advertiré but I *will* point out.
[24] cohibir to restrain.
[25] quien those who.
[26] No tan sólo not only *with* sino que (line 43) but also.
[27] poblar to inhabit.
[28] igualar to make equal.
[29] procedencias origins.
[30] va creando *Progressive tense with* ir is creating.
[31] fisionómicos facial.
[32] llega a there comes to.
[33] lo *Omit in translation.*
[34] estadísticas statistics.
[35] es *The subject follows:* la cantidad de goma . . .

3. ¿Gastan mucho dinero en mascar goma?
4. ¿Qué compran las familias pobres para mascar?
5. ¿Qué consideran los americanos un signo de gran energía?
6. ¿Hay americanos que no mascan goma?
7. ¿Es verdad que la goma iguala a todos los americanos?
8. Explique usted en español el "melting pot."
9. ¿Le gusta a usted mascar goma?
   ¿Abre y cierra usted la boca como un pez?
10. ¿En qué está el humor de este artículo?

II. *Translate the words in parentheses into Spanish.*

1. (*It has been said*) que el francés es un hombre condecorado.
2. Los americanos mascan goma (*just as*) los chinos fuman opio.
3. Abren y cierran (*their*) boca como si (*they were*) peces.
4. Han gastado en mascar poco menos (*than*) un pueblo español gasta en comer.
5. Cuando se tiene poco dinero, (*it is necessary*) estirar la goma.
6. La goma (*is sold*) en forma de pastillas.
7. La mandíbula americana se forma (*by dint of*) mascar goma.
8. No sé si ustedes (*have heard of*) este gran vicio.
9. Este país (*keeps on spending*) millones de dólares en goma.
10. Los Estados Unidos (*are*) pegados con goma.

III. *Translate the following sentences into Spanish.*

1. Americans chew not only gum but also tires.
2. The poor chew as much as the rich.
3. Last year, Americans spent too much money on gum.
4. On the other hand, we do not like other things.
5. It is not necessary to believe all that we read.
6. They are sitting around the table.
7. There are those who never chew gum.
8. Everybody is equal in the United States.

IV. *State whether the following are true or false.*

1. Los americanos mascan goma sólo en casa.
2. Mascan goma sin abrir la boca.
3. Gastan más dinero en mascar goma del que un pueblo español gasta en comer.

4. El acto de mascar goma iguala a todos los americanos.
5. La masticación resulta en que todos los americanos tienen dientes afilados.
6. El autor odia a los americanos.

Las ciudades españolas

El otro día le enseñaba yo a una señorita alemana unas colecciones de postales. Las había [36] de Londres, de París, de Bruselas y de todo el mundo.

—¿A ver [37] si adivina usted, señorita, de dónde es esta postal?

Si era una vista de Londres, ella acertaba en el acto.[38] Los impermeables y los paraguas no la dejaban lugar a [39] dudas. Con las vistas de otras ciudades, en cambio se equivocaba [40] casi siempre.

—¿Y ésta, señorita? ¿Sabe usted de dónde es esta vista?

—¡Oh! Ésta es de una ciudad española; estoy completamente segura.

Le enseñé otras postales.

—No. Éstas no sé de dónde son.

Fue retirando una, tres, cuatro, siete.

—Ésta es otra ciudad española. Y ésta. Y ésta.

—Pero ¿es que ha estado usted alguna vez en España? ¿Cómo reconoce usted tan pronto las ciudades españolas?

Entonces la señorita alemana me dio una explicación admirable. Con esa explicación se podría hacer, no ya una crónica ligera, sino [41] un artículo de fondo [42] y hasta un discurso parlamentario.

—Yo no reconozco las ciudades españolas —me dijo—. Reconozco los tipos. En todas las vistas fotográficas de las ciudades de España hay siempre un hombre arrimado a [54] un farol. Mire usted esta postal. Aquí no hay nada más que un hombre. Pues este único hombre está recostado en un farol. En cambio, examine usted todas las otras postales que usted tiene: las de París, las de Londres, las de Viena, las de Bruselas, las de Nueva York, hasta las de Turquía. Ni un solo [44] hombre arrimado a un farol. Los españoles son unos

[36] Las había there were some.
[37] A ver let's see.
[38] en el acto immediately.
[39] dejar lugar a to leave room for.
[40] equivocarse to be mistaken.
[41] no ya . . . sino not only . . . but.
[42] un artículo de fondo an editorial.
[43] arrimado a leaning against.
[44] ni un solo not one, not a single.

hombres que se arriman a los faroles. Es más. Los españoles se diferencian de todos los demás hombres del mundo por esa costum-
30 bre que tienen de arrimarse a los faroles.

Tuve que rendirme[45] a la evidencia. Era verdad. Examine usted, lector, el álbum de postales de su hermana o de su novia, y se convencerá, como yo me he convencido, de que, en todo el mundo, los españoles son los únicos hombres que se recuestan[46] en los
35 faroles. Ésta es la característica fundamental de la raza. Gracias a ella, una señorita alemana puede distinguir, entre cien postales de todas partes,[47] una sola postal española. Una de las consecuencias que se derivan de este hecho[48] es la siguiente: los españoles[49] no nos incorporaremos por completo a Europa mientras no[50]
40 nos desarrimemos de los faroles y echemos a[51] andar. Otra: para regenerar a España hay que echar abajo todos los faroles españoles.

¿Por qué se apoya el español contra los faroles? ¿Por vagancia? ¿Por filosofía? Lo cierto es que en Londres o en Nueva York, en
45 París o en Berlín, no hay medio de[53] arrimarse a un farol. De un lado se lo impide a uno[54] el clima; de otro, el guardia. En España el clima es benigno y los guardias son tolerantes. Los guardias, ellos mismos, se apoyan también contra los faroles, porque la autoridad tiene muy poca fuerza entre nosotros. ¡Que nos hablen[55] de revo-
50 luciones! ¡Que nos digan que España va a cambiar! Por mi parte, yo miraré las últimas fotografías de España y diré:

—No. Mis queridos compatriotas, los españoles, no tienen ganas de molestarse.[56] Siguen todavía arrimados a los faroles.

Y ¡cuidado que se está bien[57] recostado contra un farol! "Mejor
55 se está sentado que de pie, echado[58] que sentado y muerto que echado," dice un proverbio indio. También se está muy bien arrimado a un farol. España no está muerta, como dicen algunos. No. Está arrimada a un farol.

[45] rendirse to yield; to surrender.
[46] recostarse to lean.
[47] de todas partes from everywhere.
[48] hecho fact.
[49] los españoles we Spaniards.
[50] mientras no until.
[51] echar a to begin to.
[52] vagancia laziness.
[53] no hay medio de there's no way to; one can't.
[54] se lo impide a uno one is prevented by.
[55] Que nos hablen *Hortatory subjunctive:* let them speak to us.
[56] molestar to trouble; to disturb.
[57] cuidado que se está bien think how well off one is.
[58] echado lying down.

EXERCISES *Las ciudades españolas*

I. *Cuestionario.*

1. ¿Qué postales enseñaba el autor a una señorita?
2. ¿Qué se ve en una vista de Londres?
3. ¿Ha estado ella alguna vez en España?
4. ¿Cómo reconoce la señorita fácilmente las ciudades españolas?
5. ¿Dónde está el hombre en las postales de España?
6. ¿Hay una característica fundamental de la raza americana?
7. ¿Qué hay que hacer para regenerar a España?
8. ¿Se apoya uno contra los faroles en Nueva York?
9. ¿Qué hacen los guardias españoles?
10. ¿Está el autor contra esta actitud de los españoles?

II. *Match each of the expressions in column A with a correct meaning from column B.*

A	B
tener que + *infinitive*	not (even) a single
lo cierto	it is necessary to
ni un solo	on the one hand
tener ganas de + *infinitive*	to feel like
de todas partes	to have to
hay que + *infinitive*	nothing but
Que nos hablen	on the other hand
de un lado	from everywhere
en cambio	the sure thing
nada más que	let them speak to us

III. *Put the following words into groups that are related in meaning.*

enseñar	postal	arrimarse
único	reconocer	mostrar
vista	recostarse	solo
apoyarse	fotografía	distinguir

IV. *Translate the words in parentheses into Spanish.*

1. Los españoles son unos hombres que (*lean*) a los faroles.
2. (*What is certain*) es que en Nueva York (*not a single*) hombre está arrimado a un farol.

3. (*Let me tell her*) que España va a cambiar.
4. No. Los españoles (*don't feel like*) de molestarse.
5. (*I showed*) a la señorita cien postales y ella (*recognized*) la sola postal española.
6. Para regenerar a España (*it is necessary*) echar abajo los faroles.
7. En esta (*view*) no hay (*nothing but*) un hombre.
8. Los españoles (*will have to*) desarrimarse de los faroles.
9. ¿Se apoya el español contra los faroles (*because of*) vagancia?
10. Los guardias (*themselves*) se arriman a los faroles.

v. *Translate the following sentences into Spanish.*

1. Show me a postcard of New York; this one is of Paris.
2. I do not like the ones of London.
3. Have you ever been in Spain? Yes, but I wouldn't recognize it now.
4. We Spaniards are the only men who lean against lampposts.
5. This happens not only in Spain but everywhere.

En la planta baja [59]

Europa es una casa de vecindad.[60] En la planta baja, viven los alemanes. Están muy bien instalados, aunque con un mal gusto ostensible. Son unos inquilinos [61] recientes, que no tienen grandes simpatías con nadie. Trabajan mucho y ganan dinero; pero no saben
5 vivir. Comen unas porquerías infectas.[62] Sus criados, los poloneses, hablan mal de ellos a hurtadillas.[63]

Al fondo, en un pabellón aislado,[64] vive la familia inglesa. Gente un poco orgullosa, pero de muy buenas costumbres. Su vida es patriarcal. A las once de la noche no se ve luz en ninguna ventana
10 del pabellón. Los hombres trabajan todo el día; las muchachas hacen *sport* [65] y toman té. Los domingos, la familia entera se pone a [66] cantar salmos [67] a coro. Nunca se oye escándalo [68] en casa de los ingleses. Si se divierten, deben hacerlo con gran sigilo.[69] Unos

[59] planta baja ground floor.
[60] casa de vecindad apartment house.
[61] inquilinos tenants.
[62] porquerías infectas foul mess.
[63] a hurtadillas behind their backs.
[64] pabellón aislado separate building.
[65] hacen sport go in for sports.
[66] ponerse a *plus infinitive* to begin.
[67] salmos psalms.
[68] escándalo noise, uproar.
[69] sigilo reserve, secrecy.

dicen que se aburren mucho. Otros aseguran que se pasan la vida bebiendo. ¡Habladurías [70] de patio de vecindad! [71] Lo cierto es que esos ingleses son gente verdaderamente distinguida. Cuando, por casualidad, se tropiezan con [72] alguno de los alemanes del piso bajo, lo miran con un desdén al que los alemanes no son completamente insensibles.

Los franceses ocupan el principal.[73] Es gente alegre, simpática, comunicativa. Se pasan el día comiendo y bailando.

—Estos franceses son muy demócratas —dice la portera.

Tienen mucho dinero pero no lo gastan al tuntún.[74] Nunca pierden la cabeza, por locos que parezcan.[75]

Algunas veces los vecinos protestan contra la libertad de costumbres que reina en casa de los franceses. Sin embargo, todos ellos van, de cuando en cuando,[76] a hacerles una visita, porque en casa de los franceses se pasa muy bien el rato. La comida es excelente. Las muchachas son encantadoras. Los mismos ingleses abandonan con cierta frecuencia su pabellón para ir al principal, con el pretexto de un negocio cualquiera. En realidad, van por [77] ver a las francesas y por beber unas copitas de vino de champaña. Quienes se llevan [78] muy mal con los franceses son los alemanes.

En el segundo viven los italianos. Su casa es verdaderamente artística. Cuadros y estatuas en todos los rincones. Se ve que esa gente ha tenido un pasado magnífico. Actualmente [79] no les va muy bien. Se pasan el día cantando romanzas [80] al piano, con lo que molestan mucho a la vecindad. Las chicas estudian todas canto y declamación. Comen unos guisos [81] cargados de cebolla. Al pasar por delante de la puerta donde viven los italianos, se le humedecen a uno los ojos [82] con la cebolla y con la música.

Hay muchos más vecinos en la casa. Hay los rusos, que habitan un piso enorme y muy frío, demasiado grande, tal vez, para ellos, y

[70] Habladurías gossip.
[71] patio de vecindad house courtyard.
[72] tropezarse con to run into; to come upon.
[73] el principal second floor; el (piso) primero *would then be* the third floor; el segundo the fourth floor, etc.
[74] al tuntún carelessly.
[75] por locos que parezcan no matter how mad they may seem.
[76] de cuando en cuando from time to time.
[77] por *to express cause* because they want to see.
[78] quienes se llevan those who get along.
[79] actualmente at the present time (*not* actually).
[80] romanzas arias.
[81] guisos stews, dishes.
[82] se le humedecen a uno los ojos one's eyes moisten.

los griegos, y los turcos, y los austríacos, y hay las guardillas,[83]
45 ocupadas por gente pobre. Los españoles estamos en el desván. Vivimos entre telarañas y trastos [84] viejos. Todos los días decimos que vamos a renovar el piso; pero no lo hacemos nunca. Nos levantamos muy tarde y tenemos una fama de vagos [85] perfectamente justificada. Cuando alguno de nosotros va de visita al principal o a
50 la planta baja, o al pabellón de la familia inglesa, entra con un pie de gran señor,[86] como si la gente que nos recibe no supiera que nuestra casa es un desván. Luego vuelve uno al desván y lo encuentra triste. A veces quiere uno ponerse a barrer [87] las telarañas; pero los otros protestan. No tenemos una gorda.[88] Nos morimos de hambre.
55 —¿Por qué no trabajan ustedes? —nos preguntan los otros vecinos.

Como si la gente de nuestra alcurnia [89] pudiera ponerse a trabajar. ¿Por quiénes nos habrán tomado? [90]

Yo escribo estas líneas desde el piso bajo, adonde he venido a
60 pasar una temporada.[91] Realmente, estos señores están mucho mejor instalados que nosotros, y comen más y tienen muchísima más fuerza; pero yo no los envidio. Los inquilinos del desván somos unos hidalgos [92] que no envidiamos a nadie.

EXERCISES *En la planta baja*

I. *Cuestionario.*

1. ¿Dónde viven los alemanes?
2. ¿Por qué no tienen grandes simpatías con nadie?
3. ¿Se oye ruido en casa de los ingleses?
4. ¿Cómo miran éstos a los alemanes?
5. ¿Quiénes pasan el día comiendo y bailando?
6. ¿Por qué les gusta a los vecinos hacer una visita a los franceses?
7. ¿Cuál es el rasgo más característico de los italianos?

[83] guardilla attic.
[84] telarañas y trastos cobwebs and junk.
[85] vagos lazy persons, idlers.
[86] con un pie de gran señor like an aristocrat.
[87] barrer to sweep.
[88] una gorda (una perra gorda) *translated* a cent. (Perra chica worth five céntimos; perra gorda *or* grande worth ten céntimos.)
[89] alcurnia lineage, ancestry.
[90] nos habrán tomado can they have taken us.
[91] temporada a short time.
[92] hidalgos (*poor*) noblemen.

8. ¿Son industriosos los españoles?
9. ¿Envidia el autor a los vecinos del piso bajo?
10. ¿Qué semejanza hay entre este artículo y *Las ciudades españolas?*

II. *Match each of the words in column A with one from column B related to it in meaning. Only ten of the words in column B are applicable.*

A	B
vecino	en el tiempo presente
planta	algo
escándalo	empezar
actual	vecindad
ponerse a	piso
vago	ruido
guardilla	rosa
temporada	acto
alcurnia	noble
hidalgo	linaje
	tiempo
	desván
	perezoso

III. *Fill in the blank space with an appropriate word selected from the list below.*

orgulloso	casa de vecindad	encantador
artístico	cebolla	desván
vago	hambre	instalado
torero	triste	envidiar

1. Europa se compara a una ________.
2. La familia inglesa es gente un poco ________.
3. Las muchachas francesas son ________.
4. La casa de los italianos es verdaderamente ________.
5. Los italianos comen unos guisos cargados de ________.
6. Los españoles viven en el ________.
7. Mueren de ________.
8. Tienen fama de ________.
9. Todos los demás vecinos están mejor ________ que los españoles.
10. Los españoles son hidalgos que no ________ a nadie.

IV. *Review the following expressions and idioms, and translate the sentences below them into Spanish.*

ponerse a + *infinitive* to begin to
a hurtadillas on the sly, behind one's back
tropezarse con to run into
de cuando en cuando from time to time
sin embargo nevertheless
llevarse to get along
por casualidad by chance

1. The Germans get along badly with the French.
2. Their servants speak ill of them behind their backs.
3. When by chance an Englishman runs into a German, he looks at him with disdain.
4. When the Italians begin to sing, they disturb the whole neighborhood.
5. Nevertheless, they spend the day singing and eating.
6. From time to time the other neighbors visit the French.

La cocina de la huelga[93]

una "miss" en estofado[94]

En vez del par de[95] huevos de todos los días, la criada me ha subido esta mañana al cuarto dos tomates con jamón. Yo no estoy acostumbrado a estas fantasías culinarias,[96] y le pregunté a la muchacha si es día de fiesta.[97] No es día de fiesta, sino día de huelga.
5 Me desayuno, me visto y bajo al salón cantando.

Tomate, niño, tomate;
cómprame unos tomatitos . . .

—Está usted muy contento —me dicen—. ¿Es que no ha visto usted los periódicos? La huelga se extiende . . .
10 —¡Bendita sea![98] —exclamo—. Los huelguistas modificarán

[93] "Meals during the strike."
[94] en estofado in a (*meat*) stew; stewed.
[95] par de couple of.
[96] fantasías culinarias cooking oddities.
[97] día de fiesta holiday.
[98] ¡Bendita sea! wonderful! (*Literally*, blessed may it be.)

un poco la vida de Londres. Por lo pronto,[99] la cocinera de casa comienza a reformarse. Es posible que mañana no haya rosbif. ¡Viva la huelga!

—¿Y el día que no tengamos nada que comer?

—Ese día nos comeremos los unos a los otros —digo por salir del paso.[100] 15

Sin embargo, esta perspectiva no me entusiasma. Las inglesas son flacas, poco apetitosas.[101] Habrá que echarles una barbaridad de mostaza.[102] Prefiero los ingleses: estos ingleses encarnados[103] que parecen que ya están cocidos. Yo creo que están cocidos en realidad. 20 El ejercicio puede colorear las mejillas,[104] pero no la frente ni la calva.[105] Estos colores son los colores de la cocción.[106] Los ingleses se cuecen a fuego lento[107] en el baño de todos los días.

—¿Y si le toca a usted la bola negra[108] —me pregunta una señorita—, y nosotros nos le comemos a usted? 25

—En ese caso, les deseo a ustedes un buen apetito. La cocina española no está mal que digamos.[109] Modestia a un lado, yo me considero bastante apetecible. Soy tierno todavía, tengo bocados[110] muy recomendables.

—¡Quién le diría[111] a usted que iba a ser devorado por las 30 inglesas!

—La verdad, yo no me lo esperaba. Las inglesas saben comer con una gran delicadeza, lo cual me agrada; pero parece que nunca tienen apetito, y esto me humilla.[112] Algunas inglesas poseen una garganta[113] admirable, y a mí me gustaría mucho pasar por allí; 35 pero me mortifica mucho el pensar que esas gargantas son insensibles.[114] Las inglesas carecen de paladar[115] y no saben hacer los honores de un plato delicado.[116] Están acostumbradas a las comidas frías y no tienen la menor idea de la cocina española. Comen por necesidad y no por placer. 40

[99] Por lo pronto for the time being.
[100] salir del paso to get out of the difficulty.
[101] apetitosas appetizing.
[102] una barbaridad de mostaza an awful lot of mustard.
[103] encarnados red.
[104] mejillas cheeks.
[105] calva bald head.
[106] cocción cooking.
[107] a fuego lento slowly.
[108] y si le toca a usted la bola negra but what if you are unlucky?
[109] que digamos if I may say so.
[110] bocados morsels, mouthfuls.
[111] diría could have told.
[112] humillar to disappoint.
[113] garganta throat.
[114] insensibles unfeeling.
[115] paladar palate, taste.
[116] plato delicado exquisite dish.

Hay una vieja muy peripuesta [117] que me dirige una mirada de *gourmande:* [118]

—¿Cuál es —me pregunta— el mejor plato de la cocina española?

—Señora, le recomiendo a usted los callos.[119]

45 La conversación sigue por este camino.

—Y ¿si me toca a mí [120] dejarme guisar? —dice desde un rincón otra miss.

—Es el mejor bocado de la casa.

—¿Qué? ¿Protestaría usted?

50 —Yo, no, si no se había hecho trampa; [121] pero gritaría mucho.

—Eso no sería extraño.

—Y ¿cómo me preferirían ustedes?

—Yo, *a la mode* [122] —dice un inglés, que es un poco *snob.*

—Yo, *al natural* [123] —dice otro inglés.

55 —¿Y usted? —me preguntó ella a mí.

—¿Yo? Yo soy un *gourmet* [124] sentimental. Yo le pondría a usted mucha cebolla. La cebolla enternece [125] las comidas hasta el punto de que los comensales [126] muy sensibles no pueden contener las lágrimas. Los italianos, que son gentes blandas de corazón, usan la 60 cebolla en todos los guisos. Usted estaría muy bien con cebolla, señorita.

—¿Y de beber? [127] ¿Me comería usted con cerveza?

—¡Oh, no! Con un vino romántico.

El auditorio [128] sonríe. Sin embargo, llegado el caso de [129] no tener 65 alimentos,[130] yo estoy perfectamente convencido de que en esta casa inglesa nos comeríamos los unos a los otros.

EXERCISES *La cocina de la huelga*

I. *Cuestionario.*

1. ¿Cómo se ha cambiado el desayuno de todos los días?

[117] peripuesta overly dressed.
[118] *gourmande* glutton.
[119] callos tripe.
[120] si me toca a mí if it's my turn.
[121] si no se había hecho trampa unless I had been cheated.
[122] *a la mode* dressed; with dressing.
[123] *al natural* plain.
[124] *gourmet* connoisseur in eating and drinking.
[125] enternecer to soften.
[126] comensales diners, eaters.
[127] beber to drink (*that is,* what would you have to drink?)
[128] auditorio listeners, audience.
[129] llegado el caso de should it happen that we.
[130] alimentos food.

2. ¿Por qué le gusta al español la huelga?
3. ¿Por qué echaría el español una barbaridad de mostaza a las inglesas?
4. ¿Por qué parecen los ingleses que ya están cocidos?
5. ¿Por qué se considera el español bastante apetecible?
6. Explique Vd. la frase: las inglesas comen por necesidad y no por placer.
7. Como *gourmet,* ¿qué le pondría el español a la inglesa antes de comerla? ¿Por qué?
8. ¿Está convencido el español de que se comerían de veras los unos a los otros?
9. En resumen, ¿qué generalizaciones hace el autor sobre la cocina inglesa?

II. *Fill in the blank space with the appropriate word, or with the correct form of the verb in parentheses.*

1. No es día de fiesta, __________ día de huelga.
2. Es posible que mañana no (*haber*) __________ rosbif.
3. Los ingleses se (*cocer*) __________ a fuego lento en el baño de todos los días.
4. Las inglesas saben comer con una gran delicadeza, __________ me agrada.
5. ¿Y el día que no tengamos nada __________ comer?
6. Me desayuno, (*vestirse*) __________ y bajo al salón (*cantar*) __________.

III. *State whether the following are true or false.*

1. Las huelgas son necesarias en Inglaterra para reformar la cocina.
2. Las inglesas son menos apetitosas que los ingleses.
3. Las inglesas están acostumbradas a las comidas frías.
4. Los italianos usan poca cebolla en los guisos porque son duros de corazón.
5. Los españoles prefieren el vino a la cerveza.
6. Los ingleses son caníbales.

IV. *Translate the following sentences into Spanish.*

1. Long live the strike!
2. It will be necessary to eat each other.
3. Give me some ham instead of eggs.

4. They do not have the least idea of Spanish cooking.
5. It's my turn to sing.
6. Would you like a glass of beer?

v. *In the following sentence, substitute the pronouns in parentheses for the subject of the verbs.*

Me desayuno, me visto y bajo al salón cantando. (*él, tú, nosotros, ellos*)

Repeat, putting the verbs of the model sentence in the imperfect, future, and preterite tenses.

PÍO BAROJA 1872–1956

THE MOST FORCEFULLY INDIVIDUALISTIC writer of the Generation of '98 was the famous novelist and essayist Pío Baroja. Nothing escaped his pessimistic, skeptical, and often bitter observation. In an unpolished but brutally direct and expressive style, he attacked religion, political systems, tradition, a decadent society—everything that he considered to be false, hypocritical, conventional, prejudicial. His frank appraisals are literally strewn with adjectives like absurdo, estúpido, imbécil.

A Basque, Pío Baroja was born in San Sebastián. He studied medicine, which he practiced for a short time, but devoted most of his long life to literature. More than a hundred volumes of novels and essays attest to his amazing literary productivity. In many of these novels Baroja's reaction to the reality of Spain, viewed as an absurd chaos, is expressed through the desire for action: "la acción por la acción es el ideal del hombre sano y fuerte." In one of the essays that follow, we discover his admiration for Nietzsche, from whom he could have taken his cult of energy and his concept of life as a struggle.

Other novels are characterized by a good deal of intellectual reflection, such as Camino de perfección (1902), and El árbol de la ciencia (1911), typical of the Generation of '98 in their pessimism and severe criticism of Spanish society. Although he denied the existence of the Generation of '98 as a movement, Baroja's attitude and ideas are characteristic of these writers. His militant and even iconoclastic nature, as well as the climate of subjective criticism of national faults, must be taken into account in reading an essay like ¡Triste País! Most of his collections of essays, like Juventud, egolatría, from which De estudiante is taken, are autobiographical in nature, as, indeed, are many of his novels, in which he projects himself into his heroes.

Baroja's vigorous frankness will be seen in the essays that follow; we may not all agree with what he says, but there is a brusque sincerity in this pajarraco [1] del individualismo, as he defined himself, and an extraordinary dynamism and vitality. In a way, as we read about Nietzsche's superman, Baroja strikes us as being a super-español.

[1] Ugly big bird.

De estudiante

Como estudiante, yo he sido siempre medianillo,[2] más bien tirando a [3] malo que a otra cosa. No tenía gran afición [4] a estudiar, verdad que [5] no comprendía bien lo que estudiaba.

Yo, por ejemplo, no he sabido lo que quería decir pretérito hasta 5 años después de acabar la carrera; [6] así he repetido varias veces que el pretérito perfecto [7] era así, y el imperfecto de este otro modo, sin comprender que aquella palabra pretérito quería decir pasado, muy pasado en un caso y menos pasado en otros.

Atravesar por dos años de gramática latina, dos de francesa y 10 uno de alemana, sin enterarse de [8] lo que significa pretérito, tiene que indicar dos cosas: o una gran estupidez o un sistema de instrucción deplorable. Claro que yo me inclino a esta segunda solución.

En el doctorado, estudiando Análisis químico,[9] oí a un alumno, ya médico, decir que el cinc [10] era un metal que contenía mucho 15 hidrógeno. Cuando el profesor quiso sacarlo del aprieto,[11] se vio que el futuro doctor no tenía idea de lo que es un cuerpo simple. Este compañero, que, sin duda, sentía tan poca afición por la Química como yo por la gramática, no había podido coger en su carrera el concepto de un cuerpo simple, como yo no había llegado a saber lo 20 que era pretérito.

Respecto a mí, y creo que a todos les pasará [12] lo mismo, nunca he podido aprender aquellas cosas por las cuales no he tenido afición.

Es probable también que yo haya sido hombre de un desarrollo [13] espiritual lento.

25 Como [14] memoria, he tenido siempre poca. Afición al estudio, ninguna; la Historia Sagrada [15] y las demás historias, el latín el francés, la retórica y la Historia Natural, no me gustaron nada.[16] Únicamente me gustó un poco la Geometría y la Física.

El bachillerato [17] me dejó dos o tres ideas en la cabeza, y me

[2] medianillo barely average.
[3] tirando a leaning towards.
[4] afición interest, fondness.
[5] verdad que truthfully.
[6] carrera university course of study.
[7] pretérito perfecto present perfect tense.
[8] enterarse de to find out.
[9] Análisis químico analytical chemistry.
[10] cinc zinc.
[11] aprieto difficulty.
[12] pasará *Future to express conjecture* probably happens.
[13] desarrollo development.
[14] como as for.
[15] Sagrada Sacred.
[16] nada at all.
[17] bachillerato the degree awarded upon completion of secondary school.

lancé a estudiar una carrera como quien toma una pócima [18] amarga. 30

En mi novela *El árbol de la ciencia* [19] he pintado una contrafigura mía,[20] dejando la parte psicológica y cambiando el medio ambiente [21] del protagonista, la familia y alguna que otra cosa.[22]

Además de los defectos que he pintado en mi tipo,[23] tenía yo un 35 instinto de pigricia [24] y de haraganería [25] que no me cabía [26] en el cuerpo.

Algunos me decían: "Ahora es el momento de estudiar; luego será el de divertirse, y después vendrá el de ganar dinero."

Yo necesitaba estos tres tiempos y otros trescientos que hubiera 40 tenido [27] para no hacer nada.

EXERCISES *De estudiante*

I. *Cuestionario.*

1. ¿Por qué no ha sido Baroja buen estudiante?
2. ¿Qué quiere decir "el pretérito"?
3. ¿A cuál de sus asignaturas [courses] tenía poca afición?
4. ¿Qué le parece a Baroja el sistema de instrucción?
5. ¿Quién era su compañero?
6. ¿Dónde le conoció?
7. ¿Qué tenían los dos en común como estudiantes?
8. ¿Qué asignaturas le gustaron un poco a Baroja?
9. ¿Dónde se ha pintado el autor?
10. ¿Qué instinto tenía Baroja en demasía?

II. *Complete the following sentences based on the text by choosing the appropriate word or phrase from those given in parentheses.*

1. Como estudiante, yo he sido siempre ________ (*industrioso, medianillo, malo*).
2. Yo no he sabido ________ (*qué, lo que, cual*) quería decir

[18] pócima potion, medicine.
[19] ciencia knowledge.
[20] contrafigura mía a dummy of myself.
[21] el medio ambiente the general surroundings.
[22] alguna que otra cosa occasionally some other things
[23] tipo model.
[24] pigricia laziness.
[25] haraganería idleness.
[26] no . . . cabía en was too excessive for.
[27] hubiera tendio I might have had.

pretérito hasta años después de ________ (*acabar, acabando*) la carrera.

3. Se le concede a uno el grado de ________ (*doctorado, bachillerato*) al terminar la segunda enseñanza.
4. Mi compañero sentía ________ (*tanta, tan poca, muchísima*) afición ________ (*para, por*) la Química como yo ________ (*con, para, por*) la gramática.
5. (*Hablando de, Respecto a*) ________ mí, nunca he podido aprender aquellas cosas.
6. He tenido siempre poca ________ (*suerte, afición*) al estudio.
7. *El árbol de la ciencia* es ________ (*jardín, novela, laboratorio*).
8. Yo necesitaba mucho tiempo para no ________ (*hacer, sentir, pensar*) nada.

III. *Translate the words in parentheses into Spanish.*

1. (*I did not like*) la Historia Sagrada y las demás historias.
2. Es probable que yo (*have been*) hombre de un desarrollo (*spiritual*) lento.
3. Atravesé por dos años de (*grammar*) latina.
4. No he podido aprender aquellas cosas (*for which*) no he tenido afición.
5. Me lancé a estudiar una carrera como (*one who*) toma una pócima amarga.
6. No tenía idea de (*what*) es un cuerpo simple.
7. Creo que a todos les pasará (*the same thing*).
8. No sé lo que usted (*mean*).

IV. *Translate the following sentences into Spanish.*

1. He must be a bad student.
2. He has to learn the difference between the preterite and the imperfect.
3. I don't have a great liking for study.
4. Sometimes we read something without knowing what it means.
5. I heard him say some stupid things.

La novela

Yo no creo que la novela sea en literatura una forma definitiva. Es muy posible, es hasta probable, que varíe,[28] que evolucione y que

[28] varíe *present subj. of* variar to vary.

cambie radicalmente. Ahora, el arte, no considerado como un conjunto [29] de reglas, sino como una aspiración hacia el ideal, será eterno. Por más que [30] la Humanidad ascienda por la espiral del tiempo cada vez más arriba,[31] eternamente tendrá un más allá inasequible,[32] al que todas las almas generosas dirigirán sus miradas, y para satisfacer esta ansia del ideal existirá siempre el arte.

El arte literario se realizará en el periódico o se realizará en el libro. Yo creo que en el libro. El individuo está por encima de la masa. En el periódico, el escritor va al público; en el libro, el público va al escritor.

El periódico es al libro lo que la fotografía al cuadro.

No creo eso que dice Julio Verne,[33] que, como recuerdos para la Historia, el mundo archive [34] sus periódicos. En el periódico no se refleja la vida tal cual [35] es; el periódico no da nunca más que el aspecto exterior de las cosas, y aun [36] eso cuando lo da.

Leed un periódico de una de vuestras capitales de provincia, arcaica y tradicional, y comparadlo con otro de una ciudad rusa o de un pueblo nuevo de América; no encontráis en ellos apenas diferencias más que diferencias materiales; en uno más telegramas,[37] mejor información; en otro, telegramas usados,[38] pero no hallaréis nada específico que los separe. En cambio, leed a Galdós, y después a Bret Harte y a Mark Twain y después a Gorki,[39] y veréis los caracteres típicos de cada raza destacándose [40] claramente.

Julio Verne dice que los escritores del porvenir [41] se harán periodistas; no lo creo. Verne habla en Francia, en donde hay muchos hombres de talento, pero no hay ningún genio. No se perdería gran cosa, es indudable, con que [42] Mirabeau, Paul Bourget, Prevost, Gyp, los Margueritte [43] y otros escritores de ingenio se hicieran periodistas, porque lo que ellos escriban es para el momento; pero

[29] conjunto aggregate.
[30] Por más que no matter how much.
[31] cada vez más arriba higher and higher.
[32] un más allá inasequible an unattainable goal.
[33] Verne Jules Verne (1828–1905), *French novelist.*
[34] archivar to file away.
[35] tal cual such as.
[36] aun barely.
[37] telegramas dispatches.
[38] usados old.
[39] Galdós . . . Gorki Galdós (1845–1920), *Spain;* Bret Harte (1836–1902) *and* Mark Twain (1835–1910), *America;* Gorky (1868–1936), *Russia.*
[40] destacar(se) to stand out.
[41] porvenir future.
[42] con que if.
[43] Mirabeau . . . Margueritte Mirabeau (1749–1791), Paul Bourget (1852–1935), Prevost (1697–1763), Gyp (1850–1932), *and* Paul (1860–1918) *and* Victor (1866–1942) Margueritte, *all French.*

sería una lástima que Ibsen y Tolstoi,[44] por ejemplo, en vez de hacer dramas y novelas hiciesen artículos de periódico en Noruega y en Rusia.

EXERCISES *La novela*

I. *Cuestionario.*

1. ¿Cree Baroja que la novela sea una forma definitiva?
2. En cambio, ¿qué será eterno?
3. ¿Dónde se realizará el arte?
4. ¿Se refleja la vida en el periódico?
5. ¿Son importantes los periódicos como historia?
6. ¿Hay diferencias materiales entre los periódicos?
7. ¿Qué valor hay en leer a Galdós o a Mark Twain?
8. ¿Es Baroja muy aficionado a los escritores franceses?

II. *Give the English equivalent of the following words, and use them in original Spanish sentences.*

fotografía	eterno	realizar (*in what sense?*)
ascender	individuo	archivar
arcaico		específico

III. *Match each of the words in column A with one from column B related to it in meaning. Two of the words in column B are not related.*

A	B
sobre	arriba
subir	ingenio
cambiar	raza
deseo	escritor
autor	evolucionar
viejo	por encima de
linaje	ascender
futuro	ansia
talento	arcaico

[44] **Ibsen y Tolstoi** Ibsen (1828–1906), *Norwegian playwright;* Tolstoi (1828–1910), *Russian novelist.*

A	B
cierto	aspirar
	porvenir
	indudable

IV. *Observe the use of the subjunctive in the five examples, and then translate the sentences following the examples into Spanish.*

No creo que la novela *sea* . . .
Es posible, es probable, que *varíe* . . .
Por más que la humanidad *ascienda* . . .
No hallaréis nada específico que los *separe*.
Sería una lástima que Ibsen y Tolstoi . . . *hiciesen* . . .

1. It is possible that the novel will change radically.
2. It is a pity that you haven't read Galdós.
3. I do not think that art will be realized in the novel.
4. There is no newspaper that reflects all of life.
5. Compare this province with yours.
6. No matter how much talent they have, their works are not worth anything.
7. The writers of the future will become journalists.
8. The newspaper is to the book what the photograph is to the painting.

V. *In the following sentence, substitute each of the pairs in parentheses for the subject and verb.*

No se refleja la vida aquí. (*periódicos-vender; inglés-hablar; gran cosa-perder; novelas-leer; fumar-permitir*)

Repeat the substitution, putting each verb into the imperfect, future, and present perfect tenses.

La literatura y la historia

Los escritores suponen que conocen un país si conocen su literatura; los políticos tienden a [45] enterarse de las condiciones de un pueblo por la Historia, y ¡por qué [46] Historia! Ninguno de los sis-

[45] tender a to tend to. [46] por qué what (*said ironically*).

temas es exacto, pero está [47] más cerca de la realidad la tendencia de
5 los escritores que la de los políticos.

En primer lugar, entre los escritores ha habido [48] más hombres de genio que entre los historiadores. No se ha dado [49] en Inglaterra un historiador que esté a la altura de Shakespeare, ni en España otro que esté a la altura de Cervantes, ni en Francia ninguno como
10 Molière.[50]

A la literatura mediocre, el tiempo la hunde indefectiblemente; [51] en cambio, la historia mediana puede resistir por sus datos.[52] El que se atiene a [53] la literatura, se inspira en obras geniales; lo que no le pasa al que maneja libros de Historia. Unas cuantas [54] obras literarias
15 dan más la sensación de un país que unas cuantas obras de Historia.

En el libro literario está descontado su carácter eminentemente subjetivo; el libro histórico quiere darse como [55] objetivo y como imparcial, lo que es casi siempre una mistificación.[56] La obra de Historia está más entregada [57] que ninguna otra a la moda y a las
20 corrientes del tiempo.

Varias personas inteligentes que lean, por ejemplo, a Burns, a Byron, a Walter Scott y a Dickens, se forman una idea de Inglaterra, probablemente, más próxima a la realidad que leyendo las obras de los historiadores del país.

25 ¿Qué historiador francés del siglo XIX da una impresión más sintética de la época que Stendhal? [58] Ninguno. Con la amplificación de su genio turbulento, Beyle representa también la vida francesa de esa época, con sus preocupaciones y sus miserias como nadie.

Cuando se lee el *Quijote,* no se tiene presente lo que es objetivo
30 del país, es decir, la política, lo externo e imitado de aquí y de allá; lo que se ve es el pueblo, con su paisaje interior y exterior. Más en pequeño [59] ocurre lo mismo con los artículos costumbristas [60] de

[47] está *Subject follows:* "la tendencia . . ."
[48] ha habido there have been (*cf.* hay, había, *etc.*).
[49] no se ha dado there hasn't been.
[50] Molière 1622–1673, *author of the greatest masterpieces of French comedy.*
[51] indefectiblemente inevitably, unfailingly.
[52] datos facts.
[53] atenerse a to abide by, to stick to.
[54] unas cuantas some few.
[55] quiere darse como claims to be.
[56] mistificación hoax.
[57] entregada devoted, related.
[58] Stendahl *Pen name of* Henri Beyle (1783–1842), *French novelist.*
[59] Más en pequeño on a smaller scale.
[60] costumbristas dealing with manners and customs

Larra.[61] Si había guerra o no había guerra en el tiempo, no importa gran cosa; si mandaban Toreno o Mendizábal,[62] tampoco. Lo que se advierte [63] en estos artículos es la continuidad del país; lo pasajero, lo del momento, se ha evaporado. 35

A esto hay que añadir que la Historia no tiene exactitud alguna, ni en sus datos, ni en sus consecuencias. Yo intenté hace años, conocer la historia de España de la primera mitad del siglo XIX. Durante mucho tiempo leí libros, folletos,[64] papeles, para encontrar hechos exactos y demostrados. No hallé más que incertidumbre [65] y oscuridad. Unos historiadores se copiaban los datos a otros, y el primero que los exponía no indicaba dónde los había encontrado. 40

Por éstas y por otras muchas razones, hay que pensar que la tendencia de los escritores a buscar el conocimiento de un país en la literatura, y no en la Historia, es mucho más exacta, aunque parezca lo contrario, que la de los políticos, que quieren hallar estos conocimientos en la Historia y en la estadística. 45

EXERCISES *La literatura y la historia*

I. *Cuestionario.*

1. ¿Qué valor hay en conocer la literatura de un país?
2. ¿Qué piensan los políticos de esta idea?
3. Nombre a tres escritores de genio.
4. ¿Son objetivos los libros históricos?
5. ¿Qué escritores pueden darnos una idea de Inglaterra?
6. ¿Qué aspecto de la vida francesa representa Stendhal?
7. ¿Qué se ve leyendo el *Quijote?*
8. ¿Qué dice Baroja sobre la exactitud histórica?
9. ¿Qué le parece a usted la teoría de que se conoce un país por su literatura?
10. ¿Se lee la literatura por otras razones?

II. *Give the English translation of the words in italics.*

1. La Historia no tiene exactitud *alguna.*

[61] Larra 1807–1837, *Spanish essayist.*
[62] Toreno o Mendizábal Toreno *and* Mendizábal, *nineteenth century Spanish political figures.*
[63] advertir to notice.
[64] folletos pamphlets.
[65] incertidumbre uncertainty.

2. *Por esto hay que* pensar que la tendencia . . . es más exacta, aunque *parezca* lo contrario.
3. Yo *intenté, hace años,* conocer la historia del siglo XIX.
4. La tendencia de los escritores está *más cerca de* la realidad que *la* de los políticos.
5. Los políticos tienden a *enterarse de* las condiciones de un *pueblo* por la Historia.
6. *No hallé más que* incertidumbre y oscuridad.
7. Unos historiadores copiaban los datos *a* otros.
8. *En primer lugar,* entre los escritores *ha habido* más hombres de genio que entre los historiadores.

III. *For each of the following nouns, give a verb or an adjective in Spanish related to it in meaning. Examples:* tendencia, *tender;* subjetividad, *subjetivo*

conocimiento	inspiración	importancia
objetividad	literatura	exactitud
escritor	preocupación	oscuridad
altura	costumbre	corriente

IV. *Translate the following sentences into Spanish.*

1. One knows a country by reading its literature.
2. Dickens was a nineteenth century English novelist.
3. In the first place history is not completely objective.
4. None of the systems is exact, which is easy to believe.
5. I read Cervantes years ago.
6. Has there been an author greater than Shakespeare?
7. Other reasons can be given, but I like these.
8. One must read only good literature.

¡Triste País!

Estos periódicos franceses que dicen que España es un triste país, tienen mucha razón, muchísima razón. España es un triste país, como Francia es un hermoso país.

Yo, la verdad,[66] no admiro de Francia ni sus sabios, ni sus poetas,
5 ni sus pintores; lo que más me entusiasma es su terreno fértil y

[66] **la verdad** to tell the truth.

llano,[67] su clima dulce; sus ríos, que se deslizan [68] claros y transparentes a flor de [69] tierra; lo que más me entusiasma de Francia es su tierra y sobre todo, su vida.

¡Qué diferencia entre España y Francia! ¡Entre esta península llena de piedras, quemada por el sol, helada en el invierno, y aquel país amable y sonriente! 10

La tierra y la vida de Francia son admirables; los hombres, también; pero los productos humanos del país vecino no me parece que pueden compararse con sus productos agrícolas e industriales; los dramas de Racine [70] no están indudablemente tan bien elaborados como el vino de Burdeos,[71] ni los cuadros de Delacroix [72] valen tanto como las ostras [73] de Arcachón.[74] 15

En cambio, entre los españoles sucede casi lo contrario; nuestros grandes hombres, Cervantes, Velázquez, *el Greco,* Goya,[75] valen tanto o más que los grandes hombres de cualquier lado; [76] en cambio, nuestra vida actual vale menos, no que la vida de Marruecos,[77] menos que la vida de Portugal. Es una pobre, una lamentable vida la nuestra. 20

Todos nuestros productos materiales e intelectuales son duros, ásperos, desagradables. El vino es gordo,[78] la carne es mala, los periódicos aburridos y la literatura triste. 25

Yo no sé qué tiene nuestra literatura para ser tan desagradable. No hay blandura de corazón en nuestros escritores, ni en los antiguos, ni en los modernos, ni en los del Norte, ni en los del Mediodía, ni en los de Levante, ni en los de Poniente.[79] Todos son unos. 30

Yo me [80] tengo que sincerar de mi fama de sombrío, primeramente porque es muy agradable hablar de sí mismo y después porque tengo una fama de tétrico [81] que no me la [82] merezco.

[67] llano level.
[68] deslizarse to slide, slip.
[69] a flor de level with.
[70] Racine *Celebrated French writer of tragedies* (1639–1699).
[71] Burdeos Bordeaux.
[72] Delacroix *Leader of French Romantic painters* (1799–1863).
[73] ostras oysters.
[74] Arcachón *Town on the French coast, south of Bordeaux.*
[75] Velázquez . . . Goya *Three of Spain's greatest painters,* Velázquez (1599–1660); El Greco (1548–1625); and Goya (1746–1828).
[76] cualquier lado anywhere.
[77] Marruecos Morocco.
[78] gordo hard (*as of water*).
[79] Mediodía south; Levante east; Poniente west.
[80] me *goes with* sincerar to vindicate.
[81] tétrico sullen, gloomy (*person*).
[82] me la *Need not be translated.* Me *refers to the person concerned,* la *to* fama.

Yo escribo en triste [83] porque el medio ambiente [84] me molesta,
35 el sol me ofusca,[85] lo que digo me irrita; pero en el fondo de mi alma amo ardientemente la vida.

—Usted —me decía la Pardo Bazán [86] hace algún tiempo— no es un intelectual. Usted es un hombre sensual.

Y es verdad; yo no soy un intelectual, ni un hombre de discurso,
40 ni un hombre de pensamientos profundos, no; no soy más que un hombre que tiene las grandes condiciones para no hacer nada. Yo, si pudiera, no haría más que esto: estar tendido perezosamente [87] en la hierba, respirar con las narices abiertas como los bueyes [88] el aire lleno de perfumes del campo, ver cerca de mí las pupilas [89]
45 claras y dulces de una mujer sonriente, y saborear el olor del helecho [90] en las faldas de los montes, y saborear la melancolía del campo cuando *el Angelus* [91] vierte su tristeza en los valles hundidos y los sapos [92] lanzan su nota de cristal en el silencio lleno de rumores de la noche serena . . .
50 Y después de reposar en el campo volvería a la gran ciudad y vería gente, y luces, y bailarines, y *galops* . . .[93]

Para mí, una de las cosas más tristes de España es que los españoles no podemos ser frívolos ni joviales.

El hombre es producto del medio,[94] no sólo es hijo del cosmos,
55 es el mismo cosmos que siente y piensa, y el cosmos en España es bastante desagradable.

Valle-Inclán [95] tuvo que pasarse un año entero en pelea continua para tener el gusto de llevar melenas.[96] La gente se paraba a mirarle con impertinencia o le insultaba. ¿Con qué derecho se dejaba
60 melenas? ¿Por qué quería distinguirse?

Triste país en donde no se pueden satisfacer las tonterías [97] que

[83] en triste in a gloomy way.
[84] el medio ambiente my general surroundings.
[85] ofuscar to bewilder.
[86] Pardo Bazán Emilia Pardo Bazán (1852–1921), *Spanish novelist and critic.*
[87] perezosamente lazily.
[88] bueyes oxen.
[89] pupilas eyes.
[90] helecho fern.
[91] Angelus the bell tolling for prayer (*morning, noon, and evening*).
[92] sapos toads.
[93] *galops* lively dances. *Note the effect obtained by this abrupt change of tone in a terse, short sentence following the previous long one.*
[94] medio environment.
[95] Valle-Inclán *Spanish novelist* (1869–1936).
[96] melenas long, disheveled hair.
[97] tonterías foolish notions.

uno tiene; en donde no se pueden llevar melenas, ni usar polainas [98] blancas, ni intimar con [99] su mujer en la calle, ni llevar un ramo de flores en la mano sin llamar la atención; triste país en donde tiene uno que avergonzarse [100] de todo lo que es sentimental y humano, 65 en donde hay un espíritu hostil a todo lo pintoresco y en donde el novelista tiene que inventar tipos porque no los hay.

Triste país éste, en donde, para divertirse, se hacen corridas de toros o luchas de fieras [101] y se canta la jota,[102] que es la brutalidad cuajada [103] en canción; triste país, en donde todos los hombres son 70 graves y todas las mujeres displicentes,[104] en donde en la mirada de un hombre que pasa vemos la mirada del enemigo.

Triste país, en donde la libertad está en unos papeles y no está en el corazón.

Triste país, en donde por todas partes y en todos los pueblos se 75 vive pensando en todo menos [105] en la vida.

Vivimos en un triste país; por eso ya en el mundo nadie nos hace caso . . . ,[106] y hacen bien.[107]

EXERCISES *¡Triste País!*

I. *Cuestionario.*

1. ¿Qué admira Baroja de Francia?
2. ¿Le entusiasman la tierra y el clima de España?
3. ¿Qué es lo mejor de España?
4. ¿Son agradables los productos de España?
5. El autor dice que él no merece su fama de tétrico. ¿Está usted de acuerdo?

[98] polainas leggings.
[99] intimar con be close to.
[100] avergonzarse to be ashamed.
[101] fieras wild animals.
[102] la jota *Popular Spanish dance and music that accompanies it.*
[103] brutalidad cuajada utmost stupidity.
[104] displicentes ill-humored.
[105] menos except.
[106] hacer caso (a) to notice, to mind.
[107] *Baroja's strong outburst drew a rebuttal from his famous countryman, Miguel de Unamuno, who takes a completely opposite position. For example, in answer to the last criticism, line 75, he pities those modern European countries in which people think of nothing except life:* "¡Desgraciados países esos países europeos modernos en que no se vive pensando más que en la vida! ¡Desgraciados países en que no se piensa de continuo en la muerte . . ."

6. ¿Le gusta a Baroja la vida perezosa?
7. ¿Qué prefiere él: la vida del campo o la de la ciudad?
8. ¿Por qué halla triste la actitud de los españoles? Dé un ejemplo.
9. ¿Le entusiasman a Baroja las corridas de toros?
10. ¿Le molesta que nadie haga caso a los españoles?

II. *Translate the words and phrases in parentheses into Spanish.*

1. Los periódicos franceses (*are right*).
2. No admira de España (*neither*) el clima (*nor*) la vida.
3. (*On the other hand*), no hay (*greater*) hombres que Cervantes y Velázquez.
4. Viviría en Francia si (*he could*).
5. Es una lamentable vida (*ours*).
6. Los otros países no (*notice, pay attention*) a España.
7. Nos avergonzamos de (*all that which*) es sentimental.
8. Los productos humanos no valen (*as much as*) los productos industriales.

III. *Replace the italicized words in the ten sentences shown by an appropriate equivalent to be selected from the list below.*

estudiante	ambiente	en cambio
entusiasmar	sombrero	tristeza
necedades	ojo	tétrico
pelea	presente	clima

1. El *tiempo* de Francia es dulce.
2. Baroja tiene fama de *sombrío*.
3. Lo que *me gusta sobremanera* de Francia es su tierra.
4. *Por otra parte,* entre los españoles sucede lo contrario.
5. Nuestra vida *actual* vale menos que la vida de Portugal.
6. Quisiera ver las *pupilas* claras de una mujer sonriente.
7. El Angelus vierte su *melancolía* en los valles hundidos.
8. El hombre es producto del *medio*.
9. Se pasó un año entero en *lucha* continua.
10. No se pueden satisfacer las *tonterías* que uno tiene.

IV. *Translate the following sentences into Spanish.*

1. What I like most about my country is its climate.
2. You are right, but ours is not bad either.

3. Do you have to live outside of your own country?
4. She told it to me some time ago.
5. I cannot wear my new hat without attracting attention.
6. This is the saddest story I have ever read.

v. *In the following sentence, change the verb to the imperfect, future, preterite, and present perfect tenses.*

Nadie nos hace caso.

El éxito de Nietzsche [108]

He visto en una librería el *Anticristo,*[109] de Nietzsche, traducido al castellano, y he preguntado al librero:

—¿Se vende este libro?

—Mucho —me ha contestado.

Es extraño el éxito de Nietzsche. Por todas partes, en revistas, libros y periódicos, sobre todo en los extranjeros, no se hace más que citar el nombre del célebre filósofo prusiano. ¿De qué depende esta boga,[110] este entusiasmo tan grande? Es lo que trato de explicarme. 5

Pregunto a un literato [111] alemán su opinión, y me dice: "Entre nosotros, el estilo de Nietzsche explica todo o casi todo. Antes, si uno tenía interés en conocer la filosofía, necesitaba leer obras pesadas,[112] escritas en una jerga [113] estúpida. 10

"Schopenhauer introdujo en la filosofía la espiritualidad,[114] la gracia. Nietzsche hizo más: puso en sus obras filosóficas, pasión. 15

"En Nietzsche, el estilo resplandece [115] como una piedra preciosa;

[108] *The Success of Nietzsche Since* abulia, *or the* lack of will, *was one of the chief "illnesses" of Spain decried by the writers of the Generation of '98, it is not surprising to find Baroja and others turning to this German philosopher* (1844–1900), *who substituted for the ruling values of the good, the true, and the beautiful that of the "will to power," that is, the will to a stronger and higher existence, to come from the rearing of a higher type of man, whence Superman, and the creation of a new ruling caste.*

[109] Anticristo *The Antichrist,* 1888.

[110] boga vogue.

[111] literato learned man; man of letters.

[112] pesadas heavy, tedious.

[113] jerga jargon.

[114] espiritualidad liveliness.

[115] resplandecer to shine.

su lenguaje es musical como ninguno; su prosa hace un efecto parecido al de[116] las armonías de Wágner: emborracha,[117] excita
20 los nervios, pero vivifica también. Como le digo a usted, el estilo de Nietzsche justifica la mayor parte de su éxito."

Un intelectual, hombre que está al corriente de[118] las ideas modernas, me dice: "Yo no creo que Nietzsche sea un gran metafísico como Kant o como Hégel; pero eso no importa. Él no habló
25 únicamente al intelecto frío; no fue sólo un hombre de representación,[119] o, si lo fue, fue de una representación volitiva."[120]

Afirmó que la masa y la muchedumbre[121] es siempre miserable; comprendió que el mundo sólo se debe a los elegidos.[122]

Un poeta paganizante[123] confiesa que si tiene respeto por
30 Nietzsche, más que nada es por ser[124] antirreligioso. Él confesó sin temor lo que millares de hombres de nuestro tiempo han sentido, lo que estaba en el ambiente[125] moral de esta época, lo que nadie se atrevía a confesar: que el cristianismo es un mal.

Desde Goethe nadie ha declarado la guerra tan enérgicamente
35 como él a todo ascetismo,[126] nadie ha condenado con más fuerza la doctrina absurda del pecado[127] en el hombre. Para mí, desde que el cristianismo existe, ha habido dos hombres: Juliano *el Apóstata*[128] y Nietzsche. Nietzsche era un griego, merecía no ser alemán; por eso los poetas le amamos.

40 La explicación que me da un anarquista[129] de sus simpatías por Nietzsche, hela aquí.[130] Nietzsche es de los nuestros. Su martillo[131] ha roto en mil pedazos esta losa[132] pesada e imbécil de las preocupaciones burguesas.[133] Él ha opuesto al ideal ñoño[134] del hombre mediocre, cantado y ensalzado[135] por el socialismo, el ideal del

[116] al de to that of.
[117] emborrachar to intoxicate.
[118] está al corriente de keeps up with.
[119] representación authority.
[120] volitiva of the will.
[121] la masa y la muchedumbre the masses, the common people.
[122] los elegidos the chosen ones.
[123] paganizante irreligious.
[124] por ser because he (*Nietzsche*) is.
[125] ambiente atmosphere.
[126] ascetismo asceticism (*doctrine that one can discipline himself through self-denial to reach a high spiritual or intellectual state*).
[127] pecado sin
[128] Apóstata Julian the Apostate, *Roman emperor* (361–363), *who abandoned Christianity and tried to restore paganism.*
[129] anarquista anarchist.
[130] hela aquí is this.
[131] martillo hammer.
[132] losa flagstone.
[133] burguesas bourgeois, middle class.
[134] ñoño timid, whiny.
[135] ensalzado exalted.

superhombre, el carnívoro [136] voluptuoso errante por la vida. Los libros de Nietzsche son la bomba de Ravachol [137] en el mundo de las ideas. 45

Es curioso que unos entusiastas de Nietzsche se entusiasmen con aquello que otros admiradores tan fervientes desprecian.[138] Aun así, yo comprendo muy bien la admiración de los que viven en un medio exclusivamente intelectual; lo extraño es que la zona de admiración llegue a los que no se ocupan para nada de [139] cuestiones filosóficas. 50

Un político que habla de cuando en cuando del superhombre, y que aunque se llama político es más bien un hombre de negocios, me da la razón siguiente de su nietzscheanismo: 55

"Es un filósofo que me es simpático, aunque si quiere usted que le diga la verdad, no conozco sus libros, pero creo que era un hombre que comprendía la vida. Ya era hora que los emborronadores de papel [140] escribieran algo lógico sin sentimentalismos ni necedades.[141] Yo, sabe used, cuando tropiezo con algún hombre fuerte, trato de asociarle a [142] mis negocios. 60

"La Humanidad ha hecho siempre lo contrario protegiendo al débil; así va ella. El fuerte se come al débil, ¿no es esto? ¿Quién ha dicho esta verdad? ¿Darwin o Nietzsche? No sé. El caso es ser fuerte." 65

Un egoísta razona [143] así su simpatía:

"El culto del *yo* me parece excelente. La piedad [144] es muy bonita. ¿Pero por qué me he de sacrificar yo por nadie? Yo no he nacido para santo, no tengo obligación alguna para nada ni para nadie.

"¿Que [145] hay que exterminar a todos los enfermos, miserables, cojos y tullidos? [146] Me parece bien. ¡Es tan molesto ver a toda esa gentuza [147] por las calles!" . . . 70

Últimamente, un bandolero,[148] que creo que ha cometido una barbaridad de desmanes [149] y que me trata,[150] me dijo:

[136] carnívoro carnivore, *one of an order of mammals that is mostly flesh-eating.*
[137] Ravachol *French anarchist* (1859–1892).
[138] despreciar to scorn.
[139] no se ocupan para nada de don't bother at all with.
[140] emborronadores de papel paper scribblers.
[141] necedades stupidities.
[142] asociarle a take him into.
[143] razona rationalizes.
[144] piedad piety, mercy.
[145] Que *Supply something like* you say that.
[146] cojos y tullidos lame and crippled.
[147] gentuza (gente *plus pejorative suffix*-uza) rabble, scum.
[148] bandolero robber, brigand.
[149] una barbaridad de desmanes an awful lot of terrible things.
[150] me trata knows me.

75 —Desde que he leído un artículo en un periódico sobre ese filósofo en moda, estoy satisfecho; tenía ideas estúpidas en la cabeza, remordimientos . . .[151] ¡Ya ve usted qué tontería! Cuando vi escrita esta máxima: "Nada es verdad, todo es permitido", dije: éste es mi hombre. Que he hecho esto, y lo otro, y lo de más allá,[152] ¿y 80 qué? [153] Hay hombres altos y bajos, orgullosos, cobardes, lujuriosos,[154] estúpidos. Yo soy un hombre que no tiene *moralina*.[155] Nada más.

EXERCISES *El éxito de Nietzsche*

I. *Cuestionario.*

1. ¿Ha escrito el autor una apología [defense] del cristianismo?
2. ¿Dónde se ve el éxito de Nietzsche?
3. ¿Cómo explica este éxito un literato alemán?
4. ¿Cree Vd. que se lea a Nietzsche más por su estilo que por su filosofía?
5. ¿Se debe el mundo sólo a los elegidos?
6. ¿Por qué tiene respeto por Nietzsche un poeta paganizante?
7. ¿Qué ideal ha opuesto Nietzsche al ideal del hombre mediocre?
8. ¿Son los intelectuales los únicos que admiran a Nietzsche?
9. ¿Por qué le parece excelente al egoísta el culto del *yo?*
10. ¿Es usted entusiasta de Nietzsche? ¿Por qué?

II. *Translate the italicized expressions below, and then state whether the statement is true or false.*

1. Generalmente, los intelectuales *están al corriente de* las ideas modernas.
2. El autor *trata de explicarse* el entusiasmo por Nietzsche.
3. *Por todas partes, no* se hace *más que* citar el nombre del célebre filósofo prusiano.
4. Cuando un admirador de Nietzsche *tropieza con* algún hombre fuerte, le dice que prefiere a los débiles.
5. El egoísta *se ocupa de* los problemas de otros.

[151] remordimientos remorse.
[152] lo de más allá other things.
[153] ¿y qué? so what?
[154] lujuriosos lustful.
[155] *moralina* an iota of ethics.

6. Nietzsche no *se atreve a* oponer el ideal del "superhombre" al ideal del hombre mediocre.
7. El bandolero dice *una barbaridad de* tonterías acerca de la moral.

III. *By using examples in Spanish distinguish between:*

librería *and* biblioteca
necedad *and* necesidad
desde que *and* puesto que
cuestión *and* pregunta

IV. *Observe the use of the subjunctive in the following, and then offer original sentences in Spanish illustrating similar uses.*

1. Yo no creo que Nietzsche *sea* un gran metafísico.
2. Es curioso que . . . *se entusiasmen* . . .
3. Lo extraño es que la zona de admiración *llegue* a . . .
4. Si quiere usted que le *diga* la verdad.

V. *Observe the use of* por *and* para *in the following, and distinguish between them in examples of your own in Spanish.*

1. Si tiene respeto *por* Nietzsche . . . es *por* ser antirreligioso.
2. *Para* mí . . . ha habido dos hombres.
3. *Por* eso los poetas le amamos.
4. El hombre mediocre, cantado y ensalzado *por* el socialismo.
5. ¿Por qué me he de sacrificar yo *por* nadie?
6. No tengo obligación alguna *para* nada ni *para* nadie.

VI. *Translate the following sentences into Spanish.*

1. Are Nietzsche's books sold here?
2. I don't admire him *because he is* [two ways] against religion.
3. I want you to tell me the truth.
4. For some, his style is musical; that is why they read him.
5. I do not believe he is a great man.
6. Why should I do that for anybody?
7. There were three books written by Nietzsche in the bookstore.
8. He said what nobody dared to confess before.

AZORÍN 1873–

JOSÉ MARTÍNEZ RUIZ, *better known by the pseudonym Azorín, was born in the province of Alicante, in southeastern Spain. After studying law in Valencia, he went to Madrid, where he began his literary career as a journalist and where he still resides. He was elected to the Spanish Academy in 1924, and is considered the dean of Spanish letters.*

Azorín's prolific production includes novels, plays, short stories, criticism, and, above all, essays. As with other members of the Generation of '98, his early writings reveal a violent protest against Spain's traditions; abulia is also a dominant theme. However, a change is soon noted; while continuing to seek reforms and showing traces of pessimism, his tone becomes personal, lyrical, as he seeks the essence of Spain in its common people, its towns and countryside, and in its classics. More so than anyone else, he becomes the elegant, impressionistic painter of Castilla, whose beauty he depicts with emotion and sensitivity, in a style characterized by simplicity, clarity, and precision, and with a technique that emphasizes the small details of everyday happenings. He is a miniaturist, a loving and tender one who gives a soul to the common things which he describes. In his poetic vision of Spain, Azorín seeks the intimate spiritual reality of its people and things.

In some of his early works, such as Los pueblos, España, *and* Castilla *(from which our last selection is taken), we also find another dominant preoccupation—time, which seems to run through his works like a leitmotiv. Men, cities, events, are transitory and disappear, but the many minute details that incorporate the ultimate truth of Spain, by repeating themselves incessantly, are immutable, and tie the past to the present and the present to the future. Azorín evokes the past with sadness and resignation, with words full of lyric emotion.*

In the selections that follow, the gentle irony of Azorín's humor will be seen in the first two sketches, his technique in El periodismo, *and his intimate, sensitive, and poetic vision in* La casa cerrada.

Pasillo [1] . . . *de "sleeping-car"*

—¿Permite usted, señora? Estos pasillos de los *sleepings* son tan estrechos . . .[2]

—Con mucho gusto, caballero. Demasiado estrechos . . .

—¡Clarita!

—¡Manolo! 5

—Pero ¿cómo? Explícame . . .

—¡Qué sorpresa!

—¿Viajas?

—Ya lo ves.

—Pero, vamos, hablemos . . . Dime; cuéntame. ¿Tú por aquí? 10

—Claro; por aquí.

—¿Viajas sola?

¿Y tú?

—Di. ¿Viajas sola?

—¿Te interesa saberlo? 15

—Me interesa todo lo tuyo.[3] ¡Cuánto tiempo sin vernos! Desde aquella noche. ¿Viajas sola?

—Ahora estoy sola en el pasillo.

—Pero, bien, en tu cabina . . .[4] ¿Vas con alguna amiga? ¡Qué noche aquella, Clarita! La última noche que nos vimos . . . 20

—¡Qué bonito paisaje, Manolo! Me he levantado a primera hora para contemplar este campo tan bello de Castilla . . .

—Sí; desde aquella noche famosa no habíamos vuelto a vernos. Yo no sé lo que sucedió luego. Tengo curiosidad. Dime, dime, Clara. ¿En qué paró todo aquello? [5] Vosotros, tú y Lola, Carmen y Asunción, con Rodrigo, Antonio y Pepe, os quedasteis allí. Yo me marché precipitadamente. 25

—Un poco austero, ¿verdad?, este campo de Castilla. Siempre que he pasado por aquí me he levantado temprano para ver los álamos [6] de esta campiña [7] bañados por la primera luz del día. 30

—Sí, sí. Oye: cuando yo me marché, ¿qué es lo que hizo Rodrigo? ¡Qué pesado [8] estuvo durante toda la noche! Rompió un espejo y un velador.[9]

[1] pasillo corridor.
[2] estrechos narrow.
[3] todo lo tuyo everything about you.
[4] cabina compartment, roomette.
[5] ¿En qué paró todo aquello? How did all that come out?
[6] álamos poplars.
[7] campiña countryside.
[8] pesado clumsy.
[9] velador small table.

—La luz es firme, suave, pura, en esta campiña castellana. Dentro de un momento aparecerán las torres de la Catedral de Burgos.[10]

—Hemos hecho, sí, este viaje tú y yo alguna vez. Precioso todo, magnífico, maravilloso. Es verdad, Clarita, dime, cuéntame que cuando yo me fui, a la madrugada,[11] ya casi de día, vosotros . . .

—¿No reparas en [12] el color rosado nacarado [13] de aquellos picachos [14] lejanos de la sierra?

—¿Es cierto que Rodrigo y Asunción tuvieron que ir a la Comisaría? [15] Me habló no sé quién de esto. Yo, al día siguiente, salí de Madrid.

—Ya llegamos a Burgos. Verás cómo van a asomar [16] por entre la arboleda las dos agujas [17] de las torres de la Catedral . . .

—Sí, Clarita, sí; preciosas torres; todo elegante, con suaves ondulaciones, con macizos gráciles [18] de álamos. ¿Tú no has vuelto a ver a Rodrigo, a Antonio, a Pepe? Sí, es natural; los habrás vuelto [19] a ver. Yo, no. He estado mucho tiempo fuera de España. ¡Qué sorpresa, Clarita, qué sorpresa! ¡Encontrarte en este pasillo de *sleeping*, contemplando el paisaje! Yo he corrido mucho por Europa. ¡Y siempre la querida, la simpática Clarita, tan guapa, tan hechicera! [20]

—¡Ya se ven allá las torres de la Catedral! La luz se filtra por el calado [21] de la piedra; la piedra parece encaje . . .[22]

—Oye: supongo que ahora no nos vamos a separar así como así.[23] No, no; yo no te dejo marchar sola. Pero contéstame . . .

—¡Burgos! ¡Burgos! Ya entramos en la estación de Burgos. Dentro de un momento, cuando el tren reanude [24] la marcha, si fuéramos al otro lado, veríamos la Cartuja de Miraflores.[25]

—Sí, muchas veces la he visto . . . Preciosa. ¿Quién me había

[10] Burgos *Ancient city in northern Spain with one of the most magnificent cathedrals in the world.*
[11] a la madrugada at daybreak.
[12] reparar en to notice.
[13] nacarado mother-of-pearl.
[14] picachos sharp peaks.
[15] Comisaría police station.
[16] asomar to stick out.
[17] agujas spires.
[18] macizos gráciles thin clumps.
[19] habrás vuelto *Future tense to express probability. Observe frequent use of this throughout the sketch.*
[20] hechicera bewitching.
[21] calado opening (*of the stones arranged in a checkered or interlaced pattern*).
[22] encaje lace.
[23] así como así just like that.
[24] reanudar to resume.
[25] Cartuja de Miraflores *Carthusian monastery near Burgos, built in* 1441.

de decir que había de encontrar a Clarita en este pasillo del *sleeping?* Vaya, vaya . . . Pero bien, querida Clarita; contéstame, infórmame, dame noticias de tu preciosísima persona. Viajas; ya lo veo. Pero ¿con quién viajas? Porque sola no vas. 65

—Un momento, un momento. ¡Oigo ruido en mi cabina! ¿Se habrá levantado ya?

—¿Quién? ¿Con quién vienes en la cabina? Vamos, sé franca. ¿Con Rodrigo, o Pepe, o algún otro amigo? 70

—Con mi marido.

—¿Con tu marido? Bromas,[26] no, Clarita.

—Con mi marido.

—¿Tú casada?

—Casada. 75

—¿De veras?

—Recién casada.

—¿Muy reciente?

—De ayer.

—¡Caramba! ¿Y este viaje? 80

—Mi viaje de bodas . . .[27] Lástima que no podamos ver la Cartuja. ¡Es tan bonita!

—Pero, bueno, Clari, amiga mía; yo no puedo creer . . . Me dejas estupefacto, patidifuso.[28] La Cartuja, preciosa. Pero ¿y tu marido? 85

—Un momento, un momento . . . Voy al tocador [29] a arreglarme un poco. Oigo ruido en mi cabina. Mi marido debe de haberse levantado.

—¿Me permite usted, señor?

—Con mucho gusto, señor. 90

—Estos pasillos . . .

—Tan estrechos . . .

—¡Manolo!

—¡Rafael!

—Pero, chico, ¡quién había de decir! [30] 95

—¡Encontrarnos ahora en el pasillo de un *sleeping!*

—¡Y después de tantos años en que no nos habíamos visto!

[26] bromas joke, kidding.
[27] viaje de bodas wedding trip, honeymoon.
[28] patidifuso stunned.
[29] tocador *here,* ladies' powder room.
[30] ¡quién había de decir! who would have thought!

—¿Qué es de tu vida? [31]
—¿Y de la tuya?
100 —Ya lo ves: en el tren.
—Y yo también; ya lo estás viendo.
—Vaya, vaya.
—Caramba, caramba . . .
—Pues, señor, bien.
105 —Bueno, bueno.
—¡Qué alegría, chico!
—Sí, ¡qué alegría!
—¡Qué demonio de casualidades! [32]
—¡Qué azar [33] más dichoso!
110 —Cuéntame, cuéntame . . .
—Háblame de tu vida, Manolo.
—Ya ves, Rafael; éste es el mundo.
—Vaya, vaya . . .
—Caramba, caramba . . .
115 —Y tú . . .
—Y yo . . .
—Bueno, hombre, bueno.
—Así es la vida, chico.
—Lo menos hace veinte años que no nos habíamos visto.
120 —Sí; quince o veinte años.
—Yo me acuerdo de todas las compañeras del colegio.
—¡Cuando éramos niños! El colegio . . . Yo también me acuerdo de todas.
—¿Te acuerdas, Manolo, del horror que tenía yo entonces al
125 matrimonio?
—¡No me he de acordar,[34] Rafael!
—Después durante toda la vida, he continuado con aquella antipatía.
—Siempre, siempre has sentido tú una profunda desconfianza
130 hacia las mujeres.
—¡Figúrate tú, querido Manolo! Conozco el género perfectamente.
—¡Ah, sí, sí, Rafael! Conoces bien el eterno femenino.
—He corrido mucho mundo, Manolo.

[31] **¿Qué es de tu vida?** What's new with you?
[32] **¡Qué demonio de casualidades!** What an amazing coincidence!
[33] **azar** chance, stroke of luck.
[34] **¡no me he de acordar!** how could I forget!

—Claro, Rafael. ¡La que te engañara a tí! [35]

—¡La que me engañara a mí, bien podía decir que era una maestra de punta! [36] 135

—De punta; exacto.

—¡Qué práctica he tenido yo, querido Manolo, de las mujeres!

—¡Te has dedicado a eso! Es natural.

—Pocos hombres habrá habido [37] que las conozcan como yo . . . 140

—¿Y ya te has retirado? [38]

—¡Llegó mi hora! He encontrado una mujer única, admirable . . .

—¡Qué bonito paisaje, Rafael! Esta campiña de Alava [39] es preciosa.

—He encontrado, sí, una mujer única, maravillosa. 145

—Mira, mira, Rafael, cómo la luz natural baña los lejanos picachos de los montes.

—Y, claro, ya en la edad crítica de la vida y habiendo encontrado esta mujer ideal . . .

—¿Y aquel grupo de álamos que se perfila en el horizonte? 150

—Precioso; muy bonito . . . Como te decía, encontré, después de correr mucho mundo, una mujer encantadora, toda ingenuidad . . .[40]

—Dentro de un momento llegaremos a Miranda. El Ebro,[41] tan ancho, tan sosegado,[42] en esta hora de la mañana, parece que . . . 155

—Sí, querido Manolo, sí; estoy satisfecho, plenamente [43] satisfecho . . . Un hombre como yo, conocedor de todas las marrullerías [44] femeninas, era seguro que, al fin, buscando mucho, había de encontrar una mujer digna, ingenua . . .

—Después, pasado Miranda,[45] entramos en tierra de Alava . . . 160 ¡Qué campiña tan suave y grata! [46] El campo alavés es una mezcla del campo castellano y del vasco . . .

—Una mezcla, sí; es precioso, pintoresco . . . Y éste es mi viaje

[35] ¡La que te engañara a tí! I'd like to see the (*woman*) who could fool you!

[36] una maestra de punta really "sharp."

[37] habrá habido *Future of probability* there must have been.

[38] retirarse to retire; *here,* to settle down.

[39] Alava *province bordering that of Burgos.*

[40] toda ingenuidad completely sincere, natural.

[41] Ebro *one of the longest rivers in Spain.*

[42] sosegado calm, peaceful.

[43] plenamente completely.

[44] marrullerías cajolery, wheedling.

[45] pasado Miranda having passed Miranda (*town in the province of Burgos*).

[46] grata pleasing.

de bodas, Manolo. Te presentaré a mi mujer. Debía de estar aquí,
165 en el pasillo. Se habrá ido al lavabo . . . ¡Un encanto de viaje![47]
—La llanura se extiende suave, con ligeras ondulaciones. El árbol . . . ¿verdad, Rafael? . . . tiene aquí un encanto que no tiene en las campiñas muy pobladas.
—Se dan tumbos en la vida,[48] querido Manolo; rueda[49] uno de
170 una parte a otra; trata uno con mil amigos de todas clases; conoce uno sus engaños, sus manías; pero al fin, chico, se encuentra lo que uno necesita: una mujer candorosa, sencilla, confiada . . .[50]
—Confiada, sí, confiada, querido Rafael. ¡Qué bonito paisaje éste de la tierra alavesa!
175 —Por allí viene mi mujer. Te la presentaré . . . Clarita, mi amigo Manolo Bazán.
—Mucho gusto, señor.
—Señora, el gusto es mío.

EXERCISES *Pasillo . . . de "sleeping-car"*

I. *Cuestionario.*

1. ¿Por qué está Clara tan interesada en el paisaje?
2. ¿Qué escena recuerda Manolo? ¿Por qué no sabe él en qué paró todo aquello?
3. ¿Es la primera vez que hace Clara este viaje?
4. ¿Cuáles son algunas de las cosas que se destacan en el paisaje?
5. ¿Qué dice por fin Clara que deja a Manolo estupefacto?
6. ¿Cómo es Manolo después de encontrarse con Rafael?
7. ¿De qué se jacta [boast] Rafael respecto a las mujeres?
8. ¿Cómo describe Rafael a la mujer "ideal" que ha encontrado?
9. ¿Es ella tan ideal como cree?
10. ¿Encuentra Vd. divertida esta escena en el tren?

II. *In the following sentences, replace the italicized words by an appropriate equivalent to be selected from the list below.*

al amanecer
pasillo
repugnancia
correr mucho mundo

[47] ¡un encanto de viaje! What a delightful (*wedding*) trip!
[48] se dan tumbos en la vida Life has its hard knocks.
[49] rodar to roll.
[50] confiada trustworthy.

campo
marcharse
recordar
franqueza
encantador
madre

1. Los *corredores* de los "sleepings" son tan estrechos.
2. ¡Qué bonito *paisaje,* Manolo!
3. En verdad, Clarita, dime que cuando yo *me fui, a la madrugada,* ya casi de día . . .
4. ¡Y siempre la querida Clarita, tan *hechicera!* . . .
5. Yo *me acuerdo de* todas las compañeras del colegio.
6. Después he continuado con aquella *antipatía.*
7. *He viajado mucho,* Manolo.
8. Encontré una mujer encantadora, toda *ingenuidad.*

III. *Idiom and grammar review.*

A. *Translate the italicized words in the following sentences.*

1. *Hemos hecho este viaje* tú y yo alguna vez.
2. ¿No *reparas en* el color rosado de aquellos picachos?
3. Rafael *tenía horror al* matrimonio.
4. Después de *correr mucho mundo,* encontró una mujer guapa.
5. ¿Es cierto que *tuvieron que* ir a la Comisaría?
6. ¿Quién me *había de* decir que *había de encontrar* a Clarita en este pasillo?

B. *Observe the frequent use of the future tense and* deber de *plus the infinitive to express probability or conjecture. Examples:*

Se habrá ido al lavabo.
Mi marido debe de haberse levantado.

Give some examples of your own in Spanish.

C. *Translate the verbs in parentheses into Spanish.*

1. No sabía que (*I was to*) encontrar una mujer ideal.
2. Lástima que (*we cannot*) ver la Cartuja de Miraflores.
3. Cuando (*I went away*), ¿qué es lo que (*did*) Rodrigo?
4. Manolo (*saw again*) a Rafael en el tren.
5. Veo la Catedral; (*we must be arriving*) a Burgos.

IV. *Translate the following sentences into Spanish.*

1. I haven't seen you for a long time.
2. Tell me what happened, Clara.
3. We are to meet her at the station.
4. I hear a noise in the corridor; my husband must be awake.
5. What a pleasure to see the countryside of Castile again!
6. It must be beautiful in the spring.

El maestro

Despacho [51] *suntuoso de literato; gran mesa-escritorio* [52] *cargada de libros, revistas, papeles. Biblioteca.*

I

EL JOVEN; *después,* EL MAESTRO.

UNA VOZ. (*Dentro.*) Pase usted al despacho . . . Voy a avisar [53] al señor . . .

EL JOVEN. (*Veinte años; aire tímido. Entra, y después de mirar a* 5 *su alrededor,*[54] *se sienta con cuidado en una butaca.*[55] *Se arregla la corbata. Toma actitud solemne.*) Servidor de usted . . .[56]

EL MAESTRO. (*Viejecillo ligeramente encorvado;* [57] *ojos vivarachos;* [58] *se frota las manos a menudo.*[59] *Procura estar siem-* 10 *pre jovial. Traje negro, limpio, de larga levita* [60] *abierta.*) Muy señor mío . . .[61] Usted dirá . . . Pero ¡siéntese usted! (*Se sientan.*)

EL JOVEN. Yo traía para usted una carta de don Ramón Ossorio . . . (*Saca y le entrega la carta.*)

15 EL MAESTRO. ¡Hombre, don Ramón Ossorio! ¿Y qué hace por allá el bueno de [62] don Ramón? Pero ¡si yo creía! . . .[63] (*Acercán-*

[51] despacho study.
[52] mesa-escritorio table desk.
[53] avisar to inform.
[54] a su alrededor around him.
[55] butaca armchair.
[56] Servidor de usted your servant (*polite formula of address*).
[57] encorvado stooped.
[58] vivarachos lively.
[59] a menudo often.
[60] levita frock coat.
[61] muy señor mío my dear sir.
[62] el bueno de good old.
[63] ¡si yo creía! who would have thought!

dose al balcón para leer la carta.) "Te presento y recomiendo fraternalmente . . . al notable escritor y buen amigo . . . Sírvele de [64] maestro . . . Tu mucha experiencia . . ." (*Cesando de leer.*) ¿Y usted es escritor? 20

EL JOVEN. (*Modestamente, turbado.*[65]) Mire usted: yo . . . algunos artículos he escrito.

EL MAESTRO. ¿Y es usted de . . . ?

EL JOVEN. De Gerona.[66]

EL MAESTRO. (*Hablando para sí.*) De Barcelona . . . !Vaya, vaya¡ 25

EL JOVEN. (*Más fuerte.*[67]) ¡De Gerona!

EL MAESTRO. ¡Ah, vamos! De Gerona . . . ¿Y qué tal tiempo hace por Gerona? ¿Allí hará mucho frío?

EL JOVEN. (*Por decir algo.*) Sí, señor; allí hace ahora mucho frío. Y en el verano . . . , calor. 30

EL MAESTRO. ¿Hace calor en el verano en Gerona? ¡Vaya, vaya! Precisamente en Gerona tengo yo un amigo . . . ¡Oh, un erudito de gran entendimiento! Don Pablo Piferrer . . . ¿Conoce usted a don Pablo Piferrer?

EL JOVEN. No, señor . . . No tengo el honor de conocer al señor Piferrer. 35

EL MAESTRO. ¡Calle! [68] ¡Ahora que recuerdo! ¡Si [69] don Pablo Piferrer es de Tarragona! Dispense usted . . . , dispense usted. ¡Je, je, je! (*El Joven ríe también, para que el maestro no tome a mal* [70] *su seriedad.*) ¿Conque usted es escritor? ¡Vaya, vaya! Y diga usted, diga usted . . . ¿Qué género [71] es el que prefiere usted? Vamos, la poesía . . . No, no lo niegue [72] usted . . . La poesía . . . así, algo tierna . . . algo . . . (*El Joven hace signos de que no.*) ¿No? ¿No es usted poeta? Pues entonces, ¡vaya!, pues entonces, el drama . . . ¿Tendrá usted [73] escrito ya su drama? La generación nueva está por el teatro . . . No lo niegue usted; lo sé. El teatro es hoy el género más . . . , más . . . 40 45

EL JOVEN. (*Continúa negando.*) No, señor; usted dispense . . . No es mi vocación el teatro . . . 50

[64] de as.
[65] turbado confused, embarrassed.
[66] Gerona *City in northeast Spain, north of Barcelona.*
[67] más fuerte louder.
[68] ¡calle! stop!
[69] ¡si! of course.
[70] tomar a mal to take offense at.
[71] género literary genre.
[72] negar to deny.
[73] tendrá usted *Future of probability* I suppose you have.

EL MAESTRO. ¡Cómo! ¿No le gusta a usted el teatro? Pues entonces . . . , pues entonces . . . ¡Ya caigo! [74] ¡Oh, el sacerdocio de la crítica! [75] ¡Descubrámonos,[76] ¡je, je¡, ante la crítica! ¡Vaya, vaya! . . . Conque crítico, ¿eh? Pues es un género muy difícil, sumamente difícil . . . , convenga usted conmigo. ¡Muy resbaladizo! [77] ¡Mucho! . . . Y después . . . , después . . .

EL JOVEN. (*Niega nuevamente.*) Perdón; pero la crítica . . . No es ésa mi vocación.

EL MAESTRO. (*Después de una pausa, en que le examina curiosamente.*) ¿Tampoco la crítica? . . . (*Encontrando la idea.*) Pero, hombre, ¡si debí principiar por ahí! ¡Por la novela! ¡Por mi género! . . . ¿De modo que [78] aspira usted a ser novelista? Seremos compañeros . . . ¡Je, je, je!

EL JOVEN. (*Corrigiendo.*) Discípulo . . .

EL MAESTRO. No, no; ¡quite usted! [70] No me haga usted "dómine" [80] . . . Nada de dogmas ni de pontífices. Compañeros, sencillamente compañeros . . . (*El Joven hace signos de resignación.*) Pues, hombre, celebro [81] mucho . . . , celebro infinito que se dedique usted a la novela . . . ¡vaya, vaya! ¿Y habrá usted escrito ya algo? ¡No, no lo oculte usted! Usted tiene ya hecho algo . . .

EL JOVEN. Sí, señor; algunos cuentos . . .

EL MAESTRO. (*Echándose hacia atrás y mirándole otra vez atentamente.*) ¡Hombre!, ¿cuentos? ¡Mi especialidad! ¿Pues sabe usted que eso es todavía más difícil? ¡Oh los cuentos! ¿Y ha escrito usted muchos? ¿Prepara usted algún volumen? De seguro . . . No lo oculte usted . . . ¡Entre compañeros! . . .

EL JOVEN. Algo hay, sí, señor . . .

EL MAESTRO. ¿No lo dije? . . . No vacile usted en consultarme nada.[82] Estoy a su disposición en lo poco que valgo . . . Tendré mucho gusto . . . Tiene usted algo escrito, ¿no es eso?

[74] ¡ya caigo! (*from* caer) I have it!
[75] ¡el sacerdocio de la crítica! the sanctity of criticism!
[76] Descubrámonos our hats off!
[77] resbaladizo slippery.
[78] De modo que so that.
[79] ¡quite usted! none of that!
[80] dómine master, lord.
[81] celebrar to welcome, be glad.
[82] nada about anything.

EL JOVEN. (*Modestamente.*) Sí, señor. He escrito un cuento largo . . . , una novelita . . . 85

EL MAESTRO. Sí, sí; comprendo . . . Lo que llaman los franceses *nouvelle* . . . ¡Je, je, je! Vaya, no tenga usted reparo [83] en consultármela.

EL JOVEN. (*Saca un manuscrito del bolsillo* [84]) Se titula "Triunfo de amor". 90

EL MAESTRO. (*Lentamente.*) ¿"Triunfo de amor"? Pues crea usted, crea usted que me gusta. (*Tomando el manuscrito y leyendo.*) "Triunfo de amor".

EL JOVEN. (*Queriendo explicar la acción.*) Sí señor; un muchacho . . . , un aldeano . . .[85] que . . . 95

EL MAESTRO. No, por Dios,[86] no. Quiero reservarme el placer de leer su obra . . . ¡Ah, y seré sincero, y le diré a usted sin rodeos [87] lo que me parezca! Porque supongo que usted no tendrá inconveniente [88] en . . .

EL JOVEN. ¡Oh, no, señor! Muy honrado . . . 100

EL MAESTRO. Pues la leeré; crea usted que tendré mucho gusto . . . ¡De ustedes es el porvenir . . . , de la gente nueva, que principia! Nosotros los viejos, ya hemos andado nuestro camino . . . ¡Ustedes son nuestro consuelo!

EL JOVEN. (*Tratando de retirarse.*) Con permiso de usted . . . 105 Me parece que . . .

EL MAESTRO. ¡Oh, no! Usted no abusa . . .[89] Ésta es su casa y yo su compañero; maestro, no. (*Se levantan.*) Y . . . ya tendré el gusto de darle mi opinión . . . , pobre, pero honrada . . . ¡Je, je, je! Y venga usted por aquí, y hablaremos . . . 110

EL JOVEN. (*Sonriendo cándidamente.*) Sí, señor, sí . . .

EL MAESTRO. ¡Ah! Y cuando le escriba usted a don Ramón, expresiones mías . . .[90] ¡Caramba con [91] don Ramón! ¡Vaya, usted siga bien,[92] ilustre joven! (*Dándole palmaditas* [93] *en la espalda.*) 115

[83] tener reparo to be bashful.
[84] bolsillo *here* briefcase
[85] aldeano villager.
[86] por Dios goodness, please, *etc.* *Mild exclamation in Spanish.*
[87] sin rodeos honestly; without beating around the bush.
[88] tener inconveniente to object to; to mind.
[89] abusar to impose.
[90] expresiones mías regards from me.
[91] Caramba con that old.
[92] usted siga bien farewell.
[93] palmaditas pats.

EL JOVEN. Beso a usted la mano.[94] (*Salen. Queda un momento desierta la estancia.*)

II

EL MAESTRO, *solo; después, un* CRIADO

EL MAESTRO. (*Entra frotándose las manos.*) ¡La juventud, la ju-
120 ventud! Gente nueva . . . ¡Je, je, je¡ Gente nueva . . . (*Misteriosamente.*) ¡La juventud no está en la cabeza; está aquí, en el corazón! . . . Ideas nuevas . . . , moldes nuevos . . . ¡Tontería! Pero ¿qué se figuran [95] esos jóvenes? ¿Quieren echar abajo (*Marcando la frase.*[96]) a "los viejos"? Pues los
125 viejos se defenderán . . . , vaya, vaya . . . Se defenderán . . . ¿Que [97] no tenemos ideales? ¿Que estamos anticuados? ¿Que somos . . . "misoneístas"? [98] ¡Je, je, je! ¡Misoneístas! Pero, ¡qué horrores! [99] (*Pausa. Se sienta a la mesa y revuelve papeles.*) ¡Ea! Hoy no pasa sin que principie [100] mis "Cuentos
130 del campo" . . . ¿Cuentos? ¿Qué tal será el de ese muchacho? [101] ¿Tendrá, "efectivamente",[102] talento el mozo? (*Coge el manuscrito y lee. Después, en tono semiasombrado.*[103]) ¡Pues es cierto! ¡Y está muy bien escrito! ¡Soberbio! [104] Calor, energía, frescura de estilo . . . ¡Ah, mis veinte años . . . ,
135 mis fuerzas de entonces! Y ahora me llaman "decadente" . . . Dicen que no hay en mis obras ni un solo destello [105] de aquel genio . . . ¡Ah!

UN CRIADO. Señor, el chico de la imprenta que viene por original . . .[106]

140 EL MAESTRO. (*Sorprendido.*) Es verdad . . . ¡Y no tengo nada! (*Revolviendo papeles.*) Calla . . . Mira: toma esto, y que principien a componer . . . (*Coge el manuscrito de "Triunfo*

[94] Beso a usted la mano *polite formula of departure.*
[95] figurarse to imagine.
[96] Marcando la frase emphasizing the phrase.
[97] Que *Omit, or supply* people say that.
[98] misoneísta misoneist, *one who hates anything new or changed.*
[99] ¡qué horrores! horrors!
[100] principie *Subject is* yo.
[101] ¿Qué . . . muchacho? I wonder how that young man's (*story*) is?
[102] efectivamente really.
[103] semiasombrado astonished.
[104] ¡Soberbio! magnificent, superb.
[105] destello flash.
[106] original (*printer's*) copy.

de amor", le arranca[107] *la portada*[108] *y se lo entrega al* (*criado.*) ¡Juventud, juventud!

EXERCISES *El maestro*

I. *Cuestionario.*

1. ¿Dónde tiene lugar este *sketch?*
2. ¿Qué diferencias hay entre los dos hombres?
3. ¿Qué impresión formamos del Maestro en la primera parte?
4. ¿Por quién ha sido recomendado el Joven?
5. ¿Qué opinión tiene el Maestro de la crítica?
6. ¿Por qué celebra el Maestro que el Joven sea escritor de cuentos?
7. ¿Por qué no puede éste explicar la acción de su novelita?
8. ¿Qué opinión tiene el Maestro de la "gente nueva"?
9. ¿Cuáles son sus ideas sobre la gente nueva en la Parte II?
10. ¿Ha encontrado el viejo Maestro la "fuente de la juventud"?

II. *Identify the following adjectives, and give the adverbial form ending* in -mente.

preciso	fraternal
misterioso	sencillo
modesto	lento
ligero	cándido
curioso	atento

III. *Idiom and grammar review.*

A. *Give the meaning of the italicized idioms in the following sentences.*

1. *Hace* ahora mucho *frío*.
2. Supongo que usted no *tendrá inconveniente en* . . .
3. El Joven ríe para que el Maestro no *tome a mal* su seriedad.
4. Se frota las manos *a menudo*.
5. *¿Qué tal tiempo hace* por Gerona?
6. La generación nueva *está por* el teatro.
7. Le diré a usted lo que me parezca *sin rodeos*.
8. Vaya, no *tenga usted reparo* en consultármela.

[107] arrancar to tear off. [108] portada title page.

9. El porvenir *es de* la gente nueva.
10. Entra y mira *a su alrededor*.

B. *Give the imperative, familiar and formal, of the following:*

callar, negar, decir, quitar, creer.

C. *The future tense to express probability is used frequently; offer some examples of your own in Spanish.*

Explain the difference in meaning between these two questions:

¿Tendrá usted escrito ya su drama?
¿Y habrá usted escrito ya algo?

IV. *Translate the following sentences into Spanish.*

1. You are probably a writer of short stories. Do not deny it.
2. He looks at him again curiously.
3. What's the weather like in your city?
4. I will tell you what I think without beating around the bush.
5. The future belongs to the young.
6. You must not forget to let me read your story.
7. Tell him that his manuscript is not well written.
8. If he is young, he must be in favor of new ideas.

V. *Give a short summary of* El maestro *in Spanish.*

El periodismo [109]

El director está sentado ante su mesa de trabajo. Dos golpecitos en la puerta.

—¡Adelante!

Entra un mozo, que se detiene, respetuoso, ante la mesa.

5 —Siéntese usted. He recibido la carta de Pablo Díaz, que me ha mandado usted; he encontrado yo, además, a Pablo Díaz; hemos hablado de usted. ¿Quiere usted ser periodista en Madrid?

—Sí, señor.

—¿Y en este periódico?

10 —Ése es mi deseo.

[109] *El periodismo* journalism.

—¿Tiene usted afición al periodismo?
—Verdadera pasión.
—Perfectamente.[110] ¿Ha escrito usted mucho?
—En un periodiquito de pueblo; después, en la capital de la provincia. 15
—¿Ha tenido usted polémicas? [111]
—Dos o tres, ruidosas.
—Perfectamente; la polémica es la verdadera prueba [112] del periodista; quien no sabe salir bien de una polémica, no es periodista.
—Eso creo. 20
—Perfectamente. ¿Tendría usted la bondad de hacerme un pequeño favor?
—Todos los que usted quiera.
—¿Sabe usted dónde está el estanco [113] más próximo a esta casa? [114] 25
—Sí, señor: a cinco minutos de aquí.
—Perfectamente; lo que le voy a rogar [115] a usted—y usted será tan amable que me lo conceda—es que tome usted la molestia de ir a ese estanco y comprarme una caja de fósforos.[116]
—¡No faltaba más! [117] 30
—Aquí tiene usted los diez céntimos.
—¡No vale la pena! [118]
—Pues hasta ahora.
—Hasta ahora, señor director.

El mozo desaparece, y el director continúa trabajando. Y piensa: 35 "¡A qué prueba tan difícil, tan dura, tan arriesgada [119] voy a someter a este muchacho!; pero parece simpático, y deseo saber lo que vale." El mozo regresa de la calle a los diez minutos, presenta la caja de fósforos al director, y el director exclama:

—¡Muchas gracias! Perfectamente. 40

Hay una ligera pausa; el mozo no sabe lo que pensar de este director tan excéntrico; es uno de los grandes periodistas españoles; no creía él que tuviera estas extravagancias.

El director, lentamente, dice:

[110] perfectamente fine.
[111] polémicas controversies, arguments.
[112] prueba test.
[113] estanco government store (*for sale of stamps, tobacco, matches, etc.*)
[114] casa *here* newspaper office.
[115] rogar to ask.
[116] fósforos matches.
[117] ¡No faltaba más! Of course! The very idea!
[118] ¡No vale la pena! Don't bother.
[119] arriesgada risky.

45 —Ahora le ruego a usted otro pequeño favor; usted seguirá siendo amable conmigo.

—Todo lo que usted quiera.

—¿Ve usted aquella puertecita? Por allí se va a la sala de Redacción;[120] a esta hora no hay nadie en la casa; por eso le he citado[121] 50 a usted a esta hora. Entre usted por aquella puerta en la Redacción; encima de la mesa verá usted cuartillas[122] y plumas; siéntese usted y escriba.

—¿Un artículo?

—No, no; sencillamente lo que ha visto usted desde que ha salido 55 de mi despacho para ir a comprar la caja de fósforos, hasta que ha vuelto usted.

—¿Nada más?

—Nada más; eso es bastante.

—Con mucho gusto; al momento.[123]

60 El mozo se ausenta,[124] y el director sigue trabajando. ¿Saldrá bien de la prueba el aspirante a redactor?[125] En la puerta ya del despacho, antes de desaparecer el mozo, el director ha gritado:

—¡Ah, no olvide usted una regla fundamental! Una regla fundamental en toda narración.

65 —¿Cuál?

—El poner una cosa detrás de otra; en eso estriba[126] todo el arte del periodista . . . y el del historiador . . . Y el del novelista.

El muchacho ha desaparecido. ¿Saldrá bien de la prueba, de la terrible prueba? ¡Qué difícil es contar lo que se ve! Y ¡qué difícil el 70 poner una cosa detrás de otra! Difícil es relatar lo que no se ha visto nunca; pero más difícil el contar lo que está viendo todos los días. Los psicólogos lo saben; en las cátedras[127] y laboratorios de psicología se están haciendo todos los días investigaciones y pruebas sobre el atestiguamiento.[128] A una clase concurren cuarenta alumnos; todos, 75 para llegar hasta el aula,[129] han de ascender por una escalera que arranca[130] del vestíbulo; a la derecha de la escalera se abre una ventana. El profesor redacta un cuestionario; en una de las preguntas

[120] sala de Redacción editorial room.
[121] citar to make an appointment with.
[122] cuartillas (*sheets of*) paper.
[123] al momento right away.
[124] se ausenta leaves.
[125] el aspirante a redactor the candidate for the (*writer's*) job.
[126] estribar to be based.
[127] cátedras (*professional*) chairs.
[128] atestiguamiento attestation, corroboration.
[129] aula lecture room.
[130] arrancar to start.

se le dice al alumno si hay o no una ventana al pie de la escalera, y cómo es esa ventana. Los alumnos están pasando todo el año, todos los días, delante de la ventana. De cuarenta alumnos, treinta y cinco no saben responder a la pregunta. ¡Qué difícil es saber contar una cosa! ¿En qué escuela de periodistas se enseña a ver la realidad? Porque para contar es preciso ver antes. De diez periodistas que se pongan a contar un hecho, seguramente que [131] ocho—y acaso el número es excesivo—se entregarán, en vez de contar, a consideraciones morales, o tratarán de hacer juegos de ingenio,[132] o escribirán como prólogo al relato—que no han de hacer luego—tales o cuales [133] reflexiones preparatorias de la narración, que el lector espera y no llega. El arte del periodista no se puede enseñar en ninguna escuela; es intuición rápida y visión exacta de las cosas; todo lo demás—cultura, erudición, historia, sociología—son adherencias [134] que no crean [135] la aptitud innata y precisa.

80

85

90

¡Qué difícil es poner una cosa detrás de otra! Tarea [136] ardua la de contar lo que se ve; arte supremo, que no se puede aprender. Compare [137] el lector, como prueba, de qué modo cuentan las escenas de la Pasión [138] los más distinguidos escritores religiosos que de este magno asunto se ocupan; vea cómo cuentan Rivadeneira, La Puente, Palma; [139] compare a Gracián,[140] en su *Comulgatorio,*[141] con fray Luis de Granada,[142] en el *Libro de la oración* [143] *y meditación.* De este último cotejo [144] sale triunfante fray Luis, y queda recusado,[145] como periodista, el buen Gracián.

95

100

Pero concretemos un poco más. En junio de 1815 se da [146] la batalla de Waterloo; Napoleón se jugaba su última carta. ¿Cómo aparecía el emperador la mañana misma de la batalla? Veamos dos relatos famosos. Thiers [147] dice así: "Acababan de sonar las once;

105

[131] seguramente que   it is certain that.
[132] hacer juegos de ingenio   to be clever, witty.
[133] tales o cuales   such and such.
[134] adherencias   adjuncts.
[135] crear   to create.
[136] Tarea   task.
[137] Compare   *Hortatory subjunctive:* let the reader compare.
[138] Pasión   *i.e.,* Christ's Passion.
[139] Rivadeneira, La Puente, Palma   Rivadeneira, *Spanish missionary;* La Puente, *Spanish writer;* Palma, *Venetian painter; all of the sixteenth century.*
[140] Gracián   Spanish Jesuit (1601–1658).
[141] Comulgatorio   communion rail.
[142] Granada   *Celebrated sixteenth century Spanish Dominican writer and orator.*
[143] oración   prayer.
[144] cotejo   comparison.
[145] recusar   to refuse; to reject.
[146] darse   to occur; to take place.
[147] Thiers   (1797–1877) *French statesman and historian.*

Napoleón, sin esperar a que su hermano lo despertara, estaba ya en pie. Napoleón había abandonado la granja[148] del Caillou[149] y se había instalado en la de la Belle-Alliance, desde donde dominaba por completo la llanura en que iba a librar[150] su última ba-
110 talla. Habíase instalado en un altozano,[151] con sus mapas extendidos sobre una mesa, con sus oficiales alrededor de él, con sus caballos enjaezados[152] al pie del montículo.[153] Los dos ejércitos esperaban, inmóviles, la señal del combate." Y de este modo sigue el historiador Adolfo Thiers. ¿Ve el lector a Napoleón? ¿Está bien contado el
115 espectáculo del emperador en esa mañana histórica, trágica, decisiva?

Michelet[154] está en escena; atención. Vea ahora el lector el relato del gran narrador, del gran periodista.

"El 18 de junio, en Waterloo, Bonaparte supo, por una carta de
120 Blücher,[155] interceptada, que Blücher llegaría a las cuatro de la tarde. Por tanto,[156] Napoleón debía comenzar el ataque muy de mañana. El tiempo era malo; una lluvia torrencial había caído durante la noche; los trigos,[157] mojados,[158] hacían difícil el atravesar el llano a[159] la Caballería y a la Artillería. Añádase[160]—según una
125 observación de Marmont[161]—que para una gran batalla no se[162] tenían municiones bastantes." Note el lector los detalles de la lluvia y de las mieses[163] mojadas. Michelet continúa: "Napoleón desayunó a las ocho, muy tarde para junio, en que tan temprano amanece. Petiet, general de Caballería, que le miraba, desde su caballo, comer
130 sentado en una mesita, dice que todos quedaron impresionados por la palidez del emperador, palidez de un efecto fantasmagórico.[164] Viendo —dice— esa cara de sebo,[165] tuvimos un mal augurio." Y

[148] granja farm.
[149] Caillou, Belle-Alliance *Both in the battle area of Waterloo.*
[150] librar *here* to engage in.
[151] altozano hillock.
[152] enjaezados harnessed.
[153] montículo *variant of* montecillo hillock.
[154] Michelet (1798–1874) *great French historian.*
[155] Blücher (1742–1819) *Prussian general field marshal.*
[156] Por tanto therefore.
[157] trigos wheat fields.
[158] mojados soaked.
[159] a for.
[160] Añádase Let it be added. *The reflexive pronoun is often attached to the verb in literary style at the beginning of a sentence or clause.*
[161] Marmont (1774–1852) *Marshal of France.*
[162] se *Omit, or translate* for themselves.
[163] mieses grain fields.
[164] fantasmagórico *Translate* feverish.
[165] sebo tallow.

nada más respecto a este momento supremo. ¡Con qué fuerza vemos a Napoleón, al comenzar el trance [166] decisivo de Waterloo, en estas cuatro [167] palabras de un incomparable narrador! 135

El arte del periodista es el de saber contar. El de saber narrar los hechos, y el de explicar las fases, los matices,[168] los pormenores de un problema político o social. Y esa explicación—con su jerarquía [169] de tonos y de valores—también es contar, relatar. ¿En qué escuela se aprenderá todo eso? 140

EXERCISES *El periodismo*

I. *Cuestionario.*

1. ¿Por qué ha venido el mozo a ver al director?
2. ¿Qué favor le pide el director?
3. ¿Qué otro pequeño favor le pide el director?
4. ¿Qué tiene que hacer el mozo?
5. ¿Cuál es la regla fundamental en toda narración?
6. ¿Quiénes hacen pruebas sobre esta regla?
7. ¿En qué escuela puede enseñarse el arte del periodista?
8. ¿Qué comparación hace Azorín para probar su regla?
9. ¿En qué está la diferencia principal entre los dos relatos sobre Napoleón?
10. ¿Cree usted que no valen nada la educación y la erudición en la formación de un periodista?

II. *Idiom and grammar review.*

A. *Give the diminutive form of the following nouns:*

golpe, periódico, puerta, mesa.

B. *Observe the use of the progressive tense with* continuar, seguir, *and* estar *as auxiliary verbs. Offer some examples of your own in Spanish.*

El director continúa (*sigue, está*) trabajando.

C. *The gerund is formed with the definite article plus infinitive:*

[166] trance critical moment.
[167] cuatro few.
[168] matices (*singular matiz*) shades, nuances.
[169] jerarquía hierarchy.

¡Qué difícil *el poner* una cosa detrás de otra!

Offer some examples of your own in Spanish.

D. *Give the meaning of the following idioms:*

ponerse a + *infinitive*	estar en pie
acabar de + *infinitive*	¡no faltar más!

E. *Translate the words in parentheses into Spanish.*

1. ¿Ve usted aquella (*little house*)?
2. Las once (*had just*) sonar; Napoleón estaba ya (*up and about*).
3. El mozo se ausenta, y el director (*keeps on*) trabajando en la (*little table*).
4. (*Learning*) el arte del periodismo en una escuela no es fácil.
5. El mozo (*sets out, begins*) describir lo que ha visto.
6. Los alumnos (*are*) pasando (*every day*) delante de la casa.

III. *Correct any of the following statements concerning* El periodismo *that are in error.*

1. El director envía al mozo al estanco porque necesita fósforos.
2. El director piensa someter al mozo a una prueba dura.
3. El mozo entra en la sala de redacción a descansar un rato antes de empezar su trabajo.
4. Fácil es contar lo que se está viendo todos los días.
5. El director pregunta al mozo si hay o no una ventana al pie de la escalera.
6. El arte del periodista es intuición rápida y visión exacta de las cosas.

IV. *Translate the following sentences into Spanish.*

1. Come in! Sit down.
2. Would you please do me a favor?
3. Write simply what you have seen since this morning.
4. Tests are made in laboratories.
5. We have just read something about the battle of Waterloo.
6. Remembering all that we read is not easy.
7. He learned that the general would arrive at 4:00 P.M.
8. The art of the journalist is that of knowing how to relate.

La casa cerrada

El carruaje [170] ha comenzado a ascender, despacio, por un empinado alcor.[171] Cuando se hallaba en lo alto, ha preguntado uno de los viajeros que ocupaban el vehículo:

—¿Estamos ya en lo alto del puerto? [172]

—Ya hemos llegado —ha contestado el otro—; ahora vamos a comenzar a descender. 5

—Ya desde aquí se divisará [173] toda la vega; [174] allá, en la lejanía, brillarán las tejas [175] doradas de la cúpula de la catedral. El campo estará todo verde; reflejará el sol en el agua de alguna de las acequias [176] de los huertos.[177] ¿No es verdad? Ésta es la época en 10 que a mí me gusta más el campo. ¡Cuántas veces desde esta altura he contemplado yo el panorama de la vega y de la ciudad lejana! Dime, ¿se ve a la derecha, allá junto a un camino—un camino que serpentea, el camino viejo de Novales—una casa blanca que apenas asoma entre los árboles? 15

—Sí; ahora parece que refulge [178] al sol un cristal de una ventanilla que está en lo alto.

El carruaje ha descendido al llano y camina entre frescos herreñales [179] y huertas de hortalizas; [180] anchos frutales [181] muestran los redondos y gualdos membrillos,[182] las doradas pomas,[183] las peras 20 aguanosas,[184] suaves.

—Siento que estamos ya en plena vega —ha dicho uno de los viajeros—; aspiro [185] el olor del heno,[186] de la alfalfa cortada y de los frutales. ¿Habrá muchos manzanos como antes? Ahí en las huertas hay viejecitos encorvados y tostados por el sol, como 25 momificados,[187] como curtidos [188] por el tiempo, que están inclinados sobre la tierra, cavando,[189] arreglando los partidores [190] de las

[170] carruaje carriage.
[171] empinado alcor high hill.
[172] puerto mountain pass.
[173] divisar to descry; to discern. *From his question and the use of the future tense of conjecture in this paragraph, what do we learn of the speaker?*
[174] vega plain.
[175] tejas roofing tiles.
[176] acequias irrigation ditches.
[177] huertos orchards.
[178] refulgir to shine.
[179] herreñales fields of grain.
[180] huertas de hortalizas vegetable gardens.
[181] frutales fruit trees.
[182] gualdos membrillos yellow quince.
[183] pomas apples.
[184] aguanosas juicy.
[185] aspirar to inhale, to breathe.
[186] heno hay.
[187] momificados mummified.
[188] curtidos hardened, toughened.
[189] cavar to dig.
[190] partidores dividers.

acequias, quitando las hierbas viciosas, ¿verdad? Ya oigo las campanas de la ciudad; esa que ahora ha tocado es la de la catedral; 30 antes tocaba la campanita del convento de las Bernardas. ¿Se ven edificios nuevos en las afueras del pueblo?

—Hay algunos edificios nuevos, pero pocos; a la izquierda, cerca de la ermita [191] de la Virgen del Henar, han levantado una fábrica con una chimenea.

35 —¿Una fábrica? ¿Manchará [192] con su humo el cielo azul? ¿No es verdad que ese azul está tan limpio, tan radiante, tan traslúcido como siempre?

Comienza a penetrar el carruaje por las callejas del pueblo.

—Ya estamos en la ciudad; ya oigo los gritos de los chicos. Aquí, 40 por donde ahora vamos, había muchos talabarteros y guarnicioneros.[193] Deben de seguir aún; [194] viene olor de cueros.

—Sí; están trabajando en sus talleres; [195] pero ahora hay menos que antes; lo traen todo hecho de fuera, de las fábricas.

—¿Pasamos por la plaza ahora? ¡Cómo me hartaría [196] yo de ver 45 esta plaza ancha, con sus soportales [197] de columnas de piedra! Allí, en un rincón, estaba el comercio [198] de la "Dalia Azul" . . .

—Allí está todavía; han abierto algunas tiendas nuevas. En el centro de la plaza han hecho un jardincillo.

—Un jardincillo que tendrá algunas acacias amarillentas y unos 50 faroles con los cristales polvorientos [199] y rotos . . .

—¿Hace mucho tiempo que no han limpiado la casa?

—Todos los años la limpian dos o tres veces, pero no tocan nada; yo lo tengo bien encargado.[200] Todo está lo mismo que hace quince años.

55 —Siempre que recibo este olor de moho [201] y humedad, me acuerdo de las pequeñas iglesias del Norte, con su piso de madera encerada.[202] Las veo en aquellos paisajes tan verdes, tan suaves, tan sedantes.[203]

[191] ermita hermitage.
[192] manchar to spot; to stain.
[193] talabarteros y guarnicioneros saddlers and harness makers.
[194] Deben de seguir aún They must still be here.
[195] talleres workshops.
[196] hartar to gratify.
[197] soportales arcades.
[198] comercio store, shop.
[199] polvorientos dusty.
[200] yo lo tengo bien encargado I have seen to that.
[201] moho mold.
[202] encerada waxed.
[203] sedantes quiet, calm.

—Aquí, en el comedor, están hasta las bandejas [204] colocadas por orden sobre el aparador; [205] cualquiera diría que anoche se ha estado comiendo en esta mesa. 60

—Por esas ventanas de la galería [206] contemplaba yo, cuando era muchacho, el panorama de la vega; ese panorama que tanto ha influido sobre mi espíritu. Entremos en el despacho; déjame que abra yo. 65

Los dos visitantes entran en una vasta pieza [207] con estantes de libros; en una de las paredes hay colgado [208] un retrato que representa un caballero; en el muro de enfrente se ve otro retrato: el de una dama. La dama tiene los ojos negros y unos ricitos [209] sobre la frente. 70

—¿Se han estropeado [210] los retratos? ¿Cómo están?

—Están bien; no les ha atacado la humedad; esta sala está bien acondicionada.[211]

—Descuélgalos, para que yo los toque.

Los cuadros son descolgados y el caballero que deseaba posar sus manos sobre ellos va palpándolos dulcemente. 75

—Conozco a los dos, los diferencio por sus marcos . . .[212] ¿Estarán todos los libros en la biblioteca? Estos volúmenes grandes que toco ahora deben de ser unos libros de viajes que yo leía siendo niño. Aún parece que veo unos grabados [213] que había en ellos y que yo miraba ávidamente; una pagoda india, la Alhambra,[214] Constantinopla, las cataratas del Niágara . . . 80

El caballero abre un cajón y revuelve unos papeles que hay en él.

—¿Esto será un paquetito de cartas? Aquí debe de haber también un retrato mío a los ocho años. 85

—Sí; éste es; está casi descolorido.

—También la tinta de estas cartas se habrá tornado ya amarilla. Léeme ésta. ¿Cómo principia?

"Querido Juan: no sabes cuántas ganas tenemos de verte; estás tan lejos que . . ." 90

[204] bandejas trays.
[205] aparador buffet.
[206] galería glass-enclosed corridor or room.
[207] pieza room.
[208] colgado (colgar) hanging.
[209] ricitos *diminutive of* rizo curls.
[210] estropear to spoil; to go to ruin.
[211] bien acondicionada in good condition.
[212] marcos frames.
[213] grabados prints, pictures.
[214] la Alhambra *The beautiful former palace of Moorish kings in Granada.*

—No leas más. Pon todas las cartas aquí, como estaban antes . . . Yo no trabajé nunca en este despacho. Mi cuarto estaba en lo alto, en un apartijo [215] que yo me hice en el sobrado.[216] Quería tener siempre ante mí el panorama de la ciudad y la lontananza de
95 la vega. Vamos arriba.

—Aquí, junto a la ventana, que yo tenía casi siempre abierta, está la mesa en que tanto he trabajado. ¡Cómo contemplaba yo, en los momentos de descanso, con la cara puesta en la mano, los huertos de la vega! Con unos gemelos [217] iba viendo los granados,[218]
100 con sus florecitas rojas; los laureles—siempre verdes, nobles—; los almendros,[219] tan sensitivos; los cipreses, inmortales. Y en lo alto, el cielo azul, como de brillante porcelana, que ya tampoco puedo ver.[220] Las golondrinas [221] pasaban y repasaban rápidas, en vuelos henchidos [222] de voluptuosidad; muchas veces cruzaban rozando [223]
105 la ventana al alcance de [224] mi mano. Allá abajo, en torno de la torre de la catedral, giraban [225] los vencejos . . . Aquí colgada en la pared, frente a la mesa, está una gran fotografía de *Las Meninas,* de Velázquez. ¿Se ha descolorido?

—No; está intacta; se ven en ella los más pequeños detalles . . .

110 —¿Ves ese señor que está en el fondo, junto a una puertecita de cuarterones,[226] levantando una cortina, con un pie en un escalón y otro pie en otro? Es don José Nieto; muchas veces hemos platicado [227] en estas soledades. Ese hombre lejano—lejano en ese fondo del cuadro . . . y en el tiempo—siempre ha ejercido sobre mí una
115 profunda sugestión. No sé quién es; pero su figura [228] es para mí tan real, tan viva, tan eterna, como la de un héroe o la de un genio . . . ¿Está el cielo hoy despejado? [229]

—Sí; sólo hay unos ligeros celajes [230] en la lejanía.

—La última vez que estuve aquí era un día de otoño. El cielo
120 estaba gris; caía sobre el paisaje una luz dulce y opaca. Se oían las

[215] apartijo little side room.
[216] sobrado attic.
[217] gemelos binoculars.
[218] granados pomegranates.
[219] almendros almond trees.
[220] que ya tampoco puedo ver which I also cannot see now.
[221] golondrinas swallows.
[222] henchidos henchir to fill.
[223] rozar to scrape; to graze.
[224] al alcance de within reach of.
[225] girar to turn; giraban los vencejos the black martins used to fly (*around*).
[226] de cuarterones paneled.
[227] platicar to chat.
[228] figura appearance.
[229] despejado clear.
[230] celajes clouds.

campanas lejanas como si fueran de cristal. Estuve leyendo a fray Luis de León;[231] sobre la mesa dejé el libro. Aquí está todavía; éste es. ¿Ves esta señal[232] que tiene? Léeme un poco, a ver lo que es.

El acompañante del caballero lee:

En el profundo del abismo estaba
Del no ser, encerrado y detenido . . .[233] 125

—Sí, sí; recuerdo: eso es lo último que leí en esta mesa, en que tanto he trabajado, frente al panorama de la vega, en un día gris y dulce de otoño.

EXERCISES *La casa cerrada*

I. *Cuestionario.*

1. ¿A dónde van los dos viajeros?
2. ¿Qué se ve desde lo alto del puerto?
3. ¿Por qué conoce tan bien este paisaje uno de los viajeros?
4. ¿Llegan en invierno?
5. ¿Es duro el trabajo en las huertas?
6. ¿Cómo ha cambiado el pueblo?
7. ¿Cómo está la casa después de quince años?
8. ¿Dónde están los retratos? ¿Quiénes serán el caballero y la dama?
9. ¿Qué hay en el cajón?
10. ¿Cómo pasaba nuestro caballero sus momentos de descanso?
11. ¿Qué hizo la última vez que estuvo en su despacho?
12. ¿Cuál es el tema de este ensayo?

II. *Substitute an appropriate equivalent in Spanish for the italicized* words.

1. Eso es *lo último* que leí en esta mesa.
2. Aquí *debe de haber* también un retrato mío.
3. . . . los libros que yo leía *siendo niño.*
4. Con unos gemelos *iba viendo* los granados, con sus *pequeñas flores* rojas.
5. ¿Estamos ya *en la cima* [top] del puerto?

[231] fray Luis de León 1537–1591, *Spanish mystic writer and poet.*

[232] señal bookmark.

[233] In the depths of the abyss of nonbeing
I was held and confined . . .

6. *Han levantado* una fábrica con una chimenea.
7. ¡Cómo *me hartaría* yo de ver esta plaza ancha!
8. En el centro de la plaza han hecho un *jardincillo.*
9. Allá, *en la distancia,* brillará la cúpula de la iglesia.
10. El carruaje *ha comenzado* a ascender.

III. *Supply the appropriate form of the infinitive (in parentheses) in the following sentences.*

1. (*abrir*) Entremos en el despacho; déjame que __________ yo.
2. (*colgar*) En una de las paredes hay __________ un retrato.
3. (*conocer, estar*) Yo __________ a los dos retratos. ¿__________ todos los libros en la biblioteca?
4. (*revolver*) El caballero abre un cajón y __________ unos papeles que hay en él.
5. (*leer, poner*) Léeme esta carta. No __________ más. __________ todas las cartas aquí, como estaban antes.
6. (*trabajar*) Aquí está la mesa en que tanto yo __________.
7. (*estar*) La última vez que __________ aquí era un día de otoño.
8. (*decir*) __________me, ¿se ve a la derecha una casa blanca?
9. (*haber*) Estamos ya en plena vega. ¿__________ muchos manzanos como antes?
10. (*abrir*) Han __________ algunas tiendas nuevas.

IV. *Translate the following sentences into Spanish.*

1. The whole countryside can be seen from this little window.
2. Do you see that white house on the right?
3. I wonder if there are [can there be] some new buildings in the village.
4. The sky is as blue as always, isn't it?
5. They have been cleaning the house for fifteen years.
6. The lady in the portrait has black eyes.
7. He found an old letter of his in the box.
8. Azorín likes to give us many details of what he is describing.

JACINTO BENAVENTE 1866–1954

THREE SPANISH WRITERS of this century (two from Spain and one from Chile) have been awarded the Nobel Prize for literature; the first of these, Spain's outstanding dramatist, Jacinto Benavente, was honored in 1922. The son of a famous doctor, he was born in Madrid and, except for traveling widely through Europe, spent his whole life there.

Signaling an innovation in the theater by shunning the rhetoric of the romantic drama, Benavente's production of about two hundred plays, while of unequal merit and generally lacking in great dramatic conflict, stands out for its highly skillful dramatic technique, brilliant dialogue, and social satire. His shafts are usually directed at the upper class, striking their prejudices, hypocrisy, and materialism.

Many of his plays are intellectually entertaining satirical comedies; one of the best of these is Los intereses creados (1909), often produced in English under the title The Bonds of Interest. The characters are those of the Italian commedia dell' arte (e.g., Harlequin, Pantaloon, Punch). The rural tragedies, such as La Malquerida (1913), make up another important group of his plays.

In Benavente's early career, one can find a delight in imagination and fancy that goes back to his Teatro fantástico, the first in date of his published writings (1892), and from which El criado de Don Juan is taken. Benavente gives an imaginative twist to one of world literature's best known themes.

El criado de Don Juan [1]

Personajes:

LA DUQUESA ISABELA	LEONELO
CELIA	FABIO
DON JUAN TENORIO	

En Italia—Siglo XV

ACTO ÚNICO

CUADRO [2] PRIMERO

Calle. A un lado, la fachada de un palacio señorial.

Escena Única: FABIO *y* LEONELO. *Fabio se pasea por delante del palacio, embozado* [3] *hasta los ojos en una capa roja.*

LEONELO. (*Saliendo.*) ¡Señor! ¡Don Juan!

FABIO. No es don Juan.

5 LEONELO. ¡Fabio!

FABIO. A tiempo llegas. Desde esta mañana sin probar [4] bocado . . . ¿Cómo tardaste tanto?

LEONELO. Media ciudad he corrido trayendo y llevando cartas . . . ¿Pero don Juan?

10 FABIO. La ciudad toda, que [5] no media, correrá de seguro [6] llevando y trayendo su persona. ¡En mal hora [7] entramos a su servicio!

LEONELO. ¿Y qué haces aquí disfrazado de esa suerte? [8]

FABIO. Representar lo mejor que puedo a nuestro don Juan, suspirando ante las rejas [9] de la Duquesa Isabela.

15 LEONELO. Nuestro don Juan está loco de vanidad. La Duquesa Isabela es una dama virtuosa, no cederá por más que él se obstine.

[1] Don Juan Don Juan Tenorio, *one of the great characters of world literature. The first outstanding literary presentation of Don Juan came with* El Burlador de Sevilla (1630), *by Tirso de Molina. See how Benavente treats this libertine, traditionally invincible to man, irresistible to woman.*

[2] cuadro part.

[3] embozado wrapped up.

[4] probar to taste.

[5] que *omit, or translate* and.

[6] correrá de seguro he must surely be running around (*the city*).

[7] en mal hora unluckily (*literally,* in an evil hour).

[8] disfrazado de esa suerte disguised like that.

[9] rejas grillwork, *such as around windows and balconies.*

FABIO. Ha jurado [10] no apartarse ni de día ni de noche de este sitio, hasta que ella consienta en oírle . . . y ya ves cómo cumple [11] su juramento . . . 20

LEONELO. ¡Con una farsa indigna de un caballero! Mucho ès que [12] los servidores de la Duquesa no te han echado a palos [13] de la calle.

FABIO. No tardarán en ello. Por eso te aguardaba impaciente. Don Juan ha ordenado que apenas llegaras [14] ocupases mi puesto 25 . . . , el suyo quiero decir. Demos la vuelta [15] a la esquina por si [16] nos observan desde el palacio, y tomarás la capa y demás señales,[17] que han de presentarse [18] hasta la hora de la paliza prometida . . . como al [19] propio don Juan . . .

LEONELO. ¡Dura servidumbre! 30

FABIO. ¡Dura como la necesidad! De tal madre, tal hija.[20] (*Salen.*)

CUADRO SEGUNDO

Sala en el palacio de la Duquesa Isabela.

Escena Primera: LA DUQUESA *y* CELIA.

CELIA. (*Mirando por una ventana.*) ¡Es increíble, señora! Dos días con dos noches lleva [21] ese caballero delante de nuestras ventanas. 35

DUQUESA. ¡Necio alarde! [22] Si a tales medios debe su fama de seductor, a costa de mujeres bien fáciles habrá sido lograda.[23] ¿Y ése es don Juan, el que cuenta sus conquistas amorosas por los días del año? Allá, en su tierra, en esa España feroz, de moros,[24] de judíos y de fanáticos cristianos, de sangre impura, 40 abrasada [25] por tentaciones infernales, entre devociones supersticiosas y severidad hipócrita, podrá [26] parecer terrible como demonio tentador. Las italianas no tememos al diablo. Los

[10] jurar to swear.
[11] cumplir to keep.
[12] mucho es que it's a wonder that.
[13] a palos with a beating.
[14] apenas llegaras as soon as you arrived.
[15] vuelta dar la vuelta a to take a walk around.
[16] por si in case.
[17] señales disguises.
[18] presentarse to be worn; to be displayed.
[19] como al as if we were.
[20] De tal madre, tal hija there's no escaping it.
[21] lleva has been.
[22] ¡necio alarde! stupid display.
[23] habrá sido lograda must have been won.
[24] moros Moors.
[25] abrasada burned.
[26] podrá *subject is* he.

príncipes de la Iglesia romana nos envían de continuo [27] indul-
45 gencias rimadas [28] en dulces sonetos a lo Petrarca.[29]

CELIA. Pero confesad que el caballero es obstinado . . . y fuerte.

DUQUESA. Es preciso terminar de una vez. No quiero ser fábula [30] de la ciudad. Lleva recado [31] a ese caballero de que [32] las puertas de mi palacio y de mi estancia están francas para él.
50 Aquí le aguardo, sola . . . La Duquesa Isabela no ha nacido para figurar como un número en la lista de don Juan.

CELIA. Señora, ved . . .

DUQUESA. Conduce a don Juan hasta aquí. No tardes. (*Sale* CELIA.)

Escena Segunda: LA DUQUESA *y, después,* LEONELO. *La Duquesa se*
55 *sienta y espera con altivez* [33] *la entrada de don Juan.*

LEONELO. ¡Señora!

DUQUESA. ¿Quién? ¿No es don Juan? . . . ¿No erais vos [34] el que rondaba mi palacio?

LEONELO. Sí, yo era.

60 DUQUESA. Dos días con dos noches.

LEONELO. Algunas horas del día y algunas de la noche . . .

DUQUESA. ¡Ah! ¡Extremada burla! ¿Sois uno de los rufianes [35] que acompañan a don Juan?

LEONELO. Soy criado suyo, señora. Le sirvo a mi pesar.[36]

65 DUQUESA. Mal empleáis vuestra juventud.

LEONELO. ¡Dichosos los que pueden seguir en la vida la senda [37] de sus sueños!

DUQUESA. Camino muy bajo habéis emprendido.[38] Salid.

LEONELO. ¿Sin mensaje alguno de vuestra parte para don Juan?

70 DUQUESA. ¡Insolente!

LEONELO. Supuesto que [39] le habéis llamado . . .

DUQUESA. Sí: le llamé para que, por vez primera en su vida, se

[27] de continuo continuously.
[28] rimadas rhymed.
[29] a lo Petrarca in the style of Petrarch.
[30] fábula talk.
[31] recado message.
[32] de que to the effect that.
[33] con altivez arrogantly.
[34] vos you; *this form was widely used in Old Spanish.*
[35] rufianes scoundrels.
[36] a mi pesar against my wishes.
[37] senda path.
[38] emprender to undertake.
[39] supesto que inasmuch as.

DON JUAN. ¡No tembléis! Pasaron, oyeron ruido y se detuvieron . . . A mi cargo corre [59] sacar de aquí el cadáver sin que nadie sospeche . . . 140

DUQUESA. ¡Oh! Sí, salvad mi honor . . . ¡Si supieran! . . .

DON JUAN. No saldré de aquí sin dejaros tranquila . . .

DUQUESA. ¡Oh! No puedo miraros . . . , me dais espanto . . . ¡Dejadme salir!

DON JUAN. No, aquí, a mi lado . . . Yo también tengo miedo de 145 no veros . . . , por vos he dado muerte a un desdichado . . . No me dejéis, o saldré de aquí para siempre, y suceda lo que suceda . . . ,[60] vos explicaréis como podáis el lance.

DUQUESA. ¡Oh, no me dejéis! Pero lejos de mí, no habléis, no os acerquéis a mí . . . (*Queda en el mayor abatimiento.*[61]) 150

DON JUAN. (*Contemplándola. Aparte.*) ¡Es mía! ¡Una más! . . . (*Contemplando el cadáver de* LEONELO.) ¡Pobre Leonelo!

EXERCISES *El criado de Don Juan*

I. *Cuestionario.*

1. ¿Dónde tiene lugar la comedia [play]?
2. ¿Quiénes son Fabio y Leonelo? ¿Les gusta su oficio?
3. ¿Por qué se pasea Fabio por delante del palacio?
4. ¿Por qué aguardaba Fabio tan impaciente a Leonelo?
5. ¿Qué piensa la duquesa de Don Juan? ¿Le teme?
6. ¿Por qué ha llamado la duquesa a Don Juan?
7. ¿Es ella la única mujer que desafía a Don Juan?
8. ¿Por qué se interesa la duquesa en Leonelo?
9. ¿Por qué ofrece su amor a Leonelo? ¿Qué debe hacer éste para merecerlo?
10. ¿Por qué tiene miedo la duquesa después de la muerte de Leonelo?

II. *Give the opposite number (singular to plural, plural to singular) of the following imperatives. Then give the negative, or affirmative, of these imperatives.*

[59] a mi cargo corre I'll take it upon myself.

[60] suceda lo que suceda come what may.

[61] abatimiento depression.

confesad	no tardes
no oigáis	créeme
ved	decidme
conduce	salva
ponga	no me dejéis

III. *Select the appropriate verb form in parentheses.*

1. Le llamé para que (*se hallara, se hallaría, se halle*) frente a frente de una mujer honrada.
2. Decidme qué os (*trajese, trajo*) a tan dura necesidad.
3. Ha jurado no apartarse de este sitio hasta que ella (*consentirá, consienta, consiente*) en oírle.
4. Sacaré de aquí el cadáver sin que nadie (*sospeche, sospecha, sospechar*).
5. Las italianas no (*tememos, temamos*) al diablo.
6. Don Juan ha ordenado que apenas llegaras (*ocupes, ocuparás, ocupases*) mi puesto.
7. No volveré nunca, y suceda lo que (*sucederá, suceda, sucede*).
8. No saldré de aquí sin (*dejaros, os deje, os deja*) tranquila.
9. La duquesa no cederá por más que él se (*obstine, obstina, obstinará*).
10. Si a tales medios debe su fama seductor, (*hubiera sido lograda, habrá sido lograda*) a costa de mujeres fáciles.

IV. *Indicate whether the following are true or false.*

1. Don Juan no se aparta ni de día ni de noche de delante del palacio.
2. Les gusta a los criados ayudar a su amo en sus conquistas.
3. La duquesa es una mujer altiva que desprecia a Don Juan.
4. La duquesa no hace caso a los consejos de Leonelo.
5. Ella se interesa en Leonelo porque éste es un rufián sin alma.
6. Don Juan queda en el mayor abatimiento al oír que la duquesa ofrece su amor a Leonelo.
7. Don Juan no ha entrado en el palacio a matar a Leonelo.
8. Don Juan no se ocupa de la moral de sus acciones.

V. *Translate the following sentences into Spanish.*

1. That man is probably Don Juan's servant.
2. He strolls day and night in front of the palace.

3. He won't leave until she comes out to the street.
4. Are you the one who is not afraid of Don Juan?
5. Do not listen to him; he will deceive you.
6. My love is yours; it makes us equal.
7. He was killed by his master.
8. He died for me! Let me leave!

JUAN RAMÓN JIMÉNEZ 1881–1958

ONE OF THE GREAT *Spanish poets of this century is the internationally renowned Juan Ramón Jiménez, born in the little town of Moguer, in the province of Huelva, in the southwest corner of Spain. His birthplace has been immortalized through one of his best known works,* Platero y yo *(1914), a series of lyrical impressions in prose, in which the author speaks to his small donkey (Platero), confiding in him his innermost thoughts and feelings. The tender description of the daily life of the town is, as the author called it, an "Andalusian elegy."*

*By the time he was eighteen, Juan Ramón was well enough known to be invited to Madrid to join Rubén Darío and other poets of the "modernistic" school, and his early works bear some traces of its influence. In 1916 he married Zenobia Camprubí, who was to be a most devoted and understanding companion for the next forty-one years. (*Diario de un poeta recién casado*, 1917, was considered by Jiménez his best book of poems.) Despite his delicate health, he continued to write extensively; at the outbreak of the Civil War, he and his wife left Spain and lived successively in Puerto Rico, Cuba, and the United States. In 1952, they returned to Puerto Rico, where, in 1956, two important things happened to Juan Ramón Jiménez, one happy and the other sad: he received news that he had been awarded the Nobel Prize for Literature, and three days later his loving wife died.*

*In general terms, the poetry of Juan Ramón Jiménez, in its first phase, is delicate, refined, musical, melancholy, and often sensuously impressionistic. The images and metaphors are frequently bold, and the subtle stylization of color adds to the verbal magic. Later, his style becomes more and more personal and intimate, as he devotes himself to the search for absolute beauty and poetry; he strives constantly to purify his poems, seeking the very essence of the verse, "naked" poetry (see the last poem). Ornamentation, color, music, and anecdote tend to be eliminated. What counts is the bare precision of the word: "*Inteligencia, dame/ el nombre exacto de las cosas,*" is the way one of his best known poems begins. External reality—trees, water, birds—does not exist, in this later phase of his work, for itself but rather as the simple image of the poet's inner world.*

Juan Ramón Jiménez lived for beauty, was nourished on beauty, which he found all around him. His poetry is the triumph of the eternal—beauty—over the temporal.

I. *Ansia tranquila*

Yo me quisiera detener [1]
en cada cosa bella,
hasta morir con ella;
. . . y con ella, en lo eterno, renacer.[2]

II. *Complacencia* [3]

Tu corazón y el mío
son dos rocas en flor,
que junta [4] el arcoiris.[5]

Mi corazón y el tuyo
son dos mundos ardiendo, 5
que une la vía láctea.[6]

Tu corazón y el mío
son dos olas que funde
el mirar de lo eterno.[7]

III. *El Edén*

Estoy sonriendo echado,[8]
a tu sombra, en tu tronco suave . . .
Y me parece
que el cielo, copa [9] tuya,
mece [10] su azul sobre mi alma. 5

IV. *Anteprimavera* [11]

Llueve sobre el río.
Tanta agua estremece [12]

[1] detener *here,* to immerse (*myself*).
[2] renacer *i.e.,* hasta renacer.
[3] Complacencia pleasure.
[4] juntar to join; *the subject follows, as it does in lines 6 and 9.*
[5] arcoiris (arco iris) rainbow.
[6] vía láctea Milky Way.
[7] *Note how the beautiful images point successively to the infinite, to eternity.*
[8] echado lying down.
[9] copa tree top, crown.
[10] mecer to stir; to rock.
[11] Anteprimavera prespring.
[12] estremecer to shake.

los sutiles juncos [13]
de la orilla verde . . .
5 ¡Ay qué loco olor
a [14] amarillo frío!
Llueve sobre el río.
Mi barca parece
mi sueño en un vago
10 mundo. ¡Orilla verde!
¡Ay perdido junco!
y ¡ay corazón mío!
Llueve sobre el río.[15]

V. *Adolescencia*

En el balcón, un instante
nos quedamos los dos solos.
Desde la dulce mañana
de aquel día, éramos novios.

5 —El paisaje soñoliento [16]
dormía sus vagos tonos,
bajo el cielo gris y rosa
del crepúsculo [17] de otoño—.

Le dije que iba a besarla;
10 bajó, serena, los ojos
y me ofreció sus mejillas,
como quien pierde un tesoro.

—Caían las hojas muertas,
en el jardín silencioso,
15 y en el aire erraba aún
un perfume de heliotropos—.

No se atrevía a mirarme;
le dije que éramos novios,
. . . y las lágrimas rodaron [18]
20 de sus ojos melancólicos.

[13] **junco** rush.
[14] **olor a** odor of
[15] *Note the concrete and suggestive ways in which the poet evokes the atmosphere of the poem.*
[16] **soñoliento** drowsy.
[17] **crepúsculo** twilight.
[18] **rodar** to roll (*down*).

VI. *Voz nueva*

¿De quién es esta voz? ¿Por dónde suena
la voz esta, celeste y arjentina,[19]
que transe,[20] leve, con su hoja [21] fina
el silencio de hierro [22] de mi pena?

Dime blancura azul de la azucena,[23] 5
dime, luz de la estrella matutina,[24]
dime, frescor del agua vespertina;
¿conocéis esta voz sencilla y buena?

Voz que me hace volver los ojos, triste
y alegre, a no sé qué cristal de gloria 10
de oro, en que el ánjel canta su ¡Aleluya!

Que [25] no es de boca ni laúd [26] que existe,
que no ha salido de ninguna historia . . .
¿De quién, de qué eres, voz que no eres suya? [27]

VII. *Alba*

Through exquisite metaphors and stylized colors the poet gives us the sensation of the coming of dawn.

Se paraba
la rueda [28]
de la noche . . .
Vagos ánjeles malvas [29]
apagaban [30] las verdes estrellas. 5

Una cinta [31] tranquila
de suaves violetas

[19] arjentina (argentina) silvery. *Jiménez preferred to spell such words* (g *before* e *or* i) *with a* j. *Cf.* ánjel, *line 11.*
[20] transir to pass through.
[21] hoja blade.
[22] hierro iron.
[23] azucena lily.
[24] matutina morning. *Note the recurrence of the vowel* **u** *in these two verses.*
[25] que for, because.
[26] laúd lute.
[27] que no eres suya? which is not your own.
[28] rueda wheel.
[29] malva bluish-red; mauve.
[30] apagar to extinguish.
[31] cinta ribbon.

abrazaba amorosa
a la pálida tierra.

10 Suspiraban las flores al salir de su ensueño,[32]
embriagando el rocío [33] de esencias.

Y en la fresca orilla de helechos [34] rosados,
como dos almas perlas,
descansaban dormidas
15 nuestras dos inocencias
—oh ¡qué abrazo tan blanco y tan puro!—,
de retorno [35] a las tierras eternas.

VIII. *Recuerdos*

Íbamos paseando por la orilla
solitaria del lago.
La tarde estaba hermosa;
el ígneo [36] sol de mayo
5 sonriendo se moría,
una canción de luces suspirando.[37]

Serenos nuestros ojos,
unidas nuestras manos,
vagábamos [38] tranquilos,
10 dulcemente mirándonos.

Latía [39] el parque, mudo;
se estasiaban [40] las flores y los pájaros.

De pronto, "Di, me dijo,
¿por qué el azul espacio,
15 por qué el cielo purísimo
se mancha,[41] al reflejarse
en la verdina lóbrega [42] del lago?"

[32] *Note the alliteration in this line.*
[33] rocío dew.
[34] helecho fern.
[35] de retorno on returning.
[36] ígneo fiery.
[37] *I.e.*, suspirando una canción de luces.
[38] vagar to wander.
[39] latir to beat; to throb.
[40] estasiarse (extasiarse) to become enraptured.
[41] manchar to stain; to spot.
[42] verdina lóbrega dark greenness.

Miré su frente blanca,
y la besé en los ojos, sollozando.

En la calma magnífica del parque, 20
resonó el beso con un eco largo.
Un ruiseñor despierto
lanzó un dulce quejido desgarrado.[43]

IX.

This poem and the ones that follow belong to the poet's later, "purer" or more "naked" poetry, of the type he describes in poem number XII. See the second half of the introduction to Jiménez's work.

Alrededor de la copa
del árbol alto,
mis sueños están volando.
Son palomas, coronadas
de luces puras, 5
que, al volar, derraman música.
¡Cómo entran, cómo salen
del árbol solo!
¡Cómo me enredan [44] en oro!

X.

Te deshojé,[45] como una rosa,
para verte tu alma,
y no la vi.
Mas [46] todo en torno
—horizontes de tierras y de mares—, 5
todo, hasta el infinito,
se colmó [47] de una esencia
inmensa y viva.

[43] quejido desgarrado heartrending lament.

[44] enredar to catch in a net; to entangle.

[45] deshojar to strip the leaves off (*a plant or tree*).

[46] mas (*without the accent mark*) but.

[47] colmar to fill; to fill up.

XI. *Convalecencia* [48]

Note how the emotional experience is communicated in a brilliantly sustained metaphor.

Sólo tú me acompañas, sol amigo.
Como un perro de luz, lames [49] mi lecho blanco;
y yo pierdo mi mano por tu pelo de oro,
caída de cansancio.

5 ¡Qué de cosas que fueron [50]
se van . . . más lejos todavía!
Callo
y sonrío, igual que [51] un niño,
dejándome lamer de ti, sol manso.

10 . . . De pronto, sol, te yergues,[52]
fiel guardián de mi fracaso,[53]
y en una algarabía [54] ardiente y loca,
ladras [55] a los fantasmas vanos [56]
que, mudas sombras, me amenazan
15 desde el desierto del ocaso.[57]

XII.

The poet's reluctance to use the ornamental style and his desire to reach the very essence of a verse are described in this well-known poem.

Vino, primero, pura,
vestida de inocencia;
y la amé como un niño.

[48] convalecencia *The poem is based on the poet's own convalescence. He had spent several months at a sanatorium in Bordeaux, and later at one in Madrid.*
[49] lamer to lick.
[50] qué de cosas que fueron how many things that were.
[51] igual que just like.
[52] yergues *Second person, present tense, of* erguir to raise; to lift up.
[53] fracaso collapse.
[54] algarabía din, clamor.
[55] ladrar to bark.
[56] vanos vain; *here,* fleeting.
[57] ocaso west.

Luego se fue vistiendo [58]
de no sé qué ropajes; [59] 5
y la fui odiando,[60] sin saberlo.

Llegó a ser una reina,
fastuosa [61] de tesoros . . .
¡Qué iracundia de yel y sin sentido! [62]

. . . Mas se fue desnudando. 10
Y yo le sonreía.

Se quedó con la túnica
de su inocencia antigua.
Creí de nuevo en ella.

Y se quitó la túnica, 15
y apareció desnuda toda . . .
¡Oh pasión de mi vida, poesía
desnuda, mía para siempre!

EXERCISES *Poems I–VII*

I. *Cuestionario* (*the Roman numerals refer to the poems*).

1. ¿Cuál es el ansia del poeta? (I)
2. ¿Para qué sirve el arco iris? (II)
3. ¿Qué es lo que más une los dos corazones? (II)
4. ¿A qué se compara la copa del árbol? (III)
5. ¿Por qué hay un olor a amarillo frío? (IV)
6. ¿Quiénes están en el balcón? (V)
7. ¿Por qué llora ella? (V)
8. Describa la voz que oye el poeta. ¿De dónde viene? (VI)
9. En *Alba*, ¿qué hacían los ángeles? (VII)
10. ¿Le gustan a usted las imágenes del poema? (VII)

II. *Translate the words in parentheses into Spanish.*

1. Me detengo en cada cosa bella (*until I die*) con ella.

[58] se fue vistiendo (vestir) she began to dress.
[59] ropajes clothes.
[60] odiar to hate.
[61] fastuosa (de) magnificent (in her).
[62] iracundia . . . sentido what wrath of gall and nonsense!

2. El cielo mece su azul sobre mi (*soul*).
3. Mi corazón y (*yours*) son dos rocas en flor.
4. El mirar de (*the eternal, eternity*) funde nuestros corazones.
5. Mi barca parece mi (*dream*).
6. ¡Ay, corazón (*of mine*)!
7. Desde la dulce mañana éramos (*sweethearts*).
8. Le dije que iba a (*kiss her*).
9. ¿(*Whose*) es esta voz?
10. Se paraba la (*wheel*) de la noche.

III. *Some of the color words used by the poet are the following:* amarillo, azul, blanco, gris, roso, verde, violeta. *Use them in sentences in which more than one of these may be applicable. Example:* Paso por una casa amarilla, azul, *etc. Repeat these sentences with the noun in the plural.*

IV. *Translate the following sentences into Spanish. (The Roman numerals refer to the poems from which the vocabulary has been taken.)*

1. Eternity is in every beautiful thing. (I)
2. Our hearts are like two worlds. (II)
3. The sky is the top of the tree. (III)
4. It is raining over the river. (IV)
5. We were alone on the balcony. (V)
6. She didn't dare look at me. (V)
7. I don't know whose voice I hear. (VI)
8. It makes me turn my eyes to Heaven. (VI)
9. Some angels were extinguishing the green stars. (VII)
10. The earth is pale when dawn comes. (VII)

EXERCISES *Poems VIII–XII*

I. *Cuestionario (the Roman numerals refer to the poems).*

1. ¿Por dónde iban paseando el poeta y su amada? (VIII)
2. ¿Qué hacía el sol al morirse? (VIII)
3. ¿Son felices los recuerdos? (VIII)
4. ¿Dónde están volando los sueños? (IX)

5. ¿Son oscuros los colores de este poema? (IX)
6. ¿Tiene alma todo en torno del poeta? (X)
7. ¿Tiene un perro el poeta? (XI)
8. ¿Muere el poeta? (XI)
9. ¿Cuándo empezó el poeta a odiar la poesía? (XII)
10. ¿Cuándo creyó de nuevo en ella? (XII)

II. *Complete the following sentences by selecting the appropriate word or words in parentheses.*

1. La tarde (*era, estaba*) hermosa. (VIII)
2. Unidas nuestras manos, (*vagábamos, jugábamos*) tranquilos. (VIII)
3. La besé en los ojos, (*triste, gritando, sollozando*). (VIII)
4. Mis sueños son (*caballos, palomas*). (IX)
5. Te deshojé, como una (*máquina, rosa*). (X)
6. Como un perro de luz, lames mi (*pie, lecho, libro*). (XI)
7. Callo y sonrío, dejándome (*comer, morder, lamer*) de ti, sol manso. (XI)
8. Vino, primero, pura, (*vestida, desnuda, llena*) de inocencia. (XII)
9. Y (*se puso, se lavó, se quitó*) la túnica, y apareció desnuda toda. (XII)
10. ¡Oh poesía desnuda, mía para (*nada, siempre*). (XII)

III. *Substitute the nouns in parentheses for the subject in the following sentence.*

La tarde estaba hermosa. (*lago, flores, árbol, muchachas*)

Substitute the pairs of words in parentheses for the subject and object of the following sentence.

Se quitó la túnica. (*yo-sombrero; nosotros-zapatos; ellos-guantes*)

Repeat the substitutions, putting the verb in the present, imperfect, and present perfect tenses.

IV. *Translate the following sentences into Spanish.*

1. The May sun was dying in the west. (VIII)
2. We looked at each other tenderly. (VIII)
3. The park is calm and silent. (VIII)

4. My dreams are doves that fly around the tree. (IX)
5. The sun is like a dog of light. (X)
6. The dog barks at the phantoms of death. (XI)
7. At first I loved poetry like a child. (XII)
8. Then I hated it, without knowing why. (XII)

MIGUEL DE UNAMUNO 1864–1936

FOR MANY CRITICS *Miguel de Unamuno is the major Spanish literary figure of the twentieth century. The one word which most faithfully characterizes the man and his works is passion, or, as he preferred to call it, agony. No matter what we read of his vast literary production—which includes all genres: the novel, the short story, the drama, the essay, poetry—we are struck by the anguish and the torment of his soul as it struggles to find an answer for his chief philosophical preoccupation: man and his destiny. Man, for Unamuno, is viewed not as an abstract entity but as the man of flesh and blood (*el hombre de carne y hueso*). The best exposition of this human problem is to be found in Unamuno's famous work* Del sentimiento trágico de la vida, *1912.*

Unamuno was almost literally torn by the constant battle within him between faith, which strengthened his belief in immortality, and reason, which opposed it. "I need," he says, "the immortality of the soul, of my individual soul. Without faith in it I cannot live, and the doubt of reaching it torments me. And since I need it, my passion leads me to affirm it, even against reason."

A Basque like Pío Baroja, Unamuno was born in Bilbao, but most of his adult life was centered around the University of Salamanca, where he was appointed professor of Greek at the age of twenty-seven, and rector ten years later. A man of extraordinary erudition, he was well versed not only in the classical languages and Romance philology, but also in German, English, and Danish. Early in his career he viewed with concern the contemporary decadence of Spain, like the other writers of the Generation of '98, and with the same fervor he displayed in pursuing answers to religious questions. At first in favor of a Europeanization of Spain as a solution, he later changed his ideas; while admitting that European influence could revitalize life in his country, he strongly urged that Spanish traditions be kept and revered, especially the religious sense of life, which he felt to be the true essence of the country.

Unamuno's whole preoccupation is projected into his fictional characters (whom he called his "agonists") and into the structure and style of his works. His novels, for example, are bare and schematic, for the most part devoid of oratory and external descriptions, whether of the characters or of nature; he is interested primarily in delving into the soul. Antithesis, paradox, the coining of words, inversion, are all characteristic of his style. A good example of his literary techniques and of his religious preoccupation is his last, short novel, San Manuel Bueno, Mártir.

As a matter of interest and in order to compare the development of the same theme in different genres, the editor has included both the short story La venda and the play adapted from it. The short story was first published in 1900, and the play in 1913. Typically, Unamuno concentrates upon the intense emotional experience, the passion, of his protagonist, María; everything else is subordinated, with the result that the other characters, instead of being developed, are like spectators.

Whereas in the story we enter directly into the plot, the contrast of light and darkness, reason and passion, is introduced first by a dialogue in the play, and then developed as the action begins. Unamuno's deeply religious preoccupation is evident throughout; biblical allusions are frequent, including the introduction, into the play, of Martha as Mary's sister, and the conflict between them. You will note, also, the effective use of paradox so typical of Unamuno: María can "see" only when her eyes are blindfolded.

Where time permits, it is recommended that both works be read; in language and style, the play is easier than the story.

La venda[1]

Y vio de pronto[2] nuestro hombre venir una mujer despavorida,[3] como un pájaro herido, tropezando a cada paso, con los grandes ojos preñados[4] de espanto que parecían mirar al vacío y con los brazos extendidos. Se detenía, miraba a todas partes aterrada,[5] como un náufrago[6] en medio del Océano, daba unos pasos y se volvía, tornaba a[7] andar, desorientada[8] de seguro. Y llorando exclamaba:

—Mi padre, que[9] se muere mi padre.

De pronto se detuvo junto al hombre, le miró de una manera misteriosa, como quien[10] por primera vez mira, y sacando el pañuelo le preguntó:

—¿Lleva usted bastón?[11]

—¿Pues no lo ve usted? —dijo él mostrándoselo.

—¡Ah! Es cierto.

—¿Es usted acaso ciega?[12]

—No, no lo soy ahora, por desgracia. Déme el bastón. Y diciendo esto empezó a vendarse los ojos con el pañuelo.

Cuando hubo acabado[13] de vendarse repitió:

—Déme el bastón, por Dios, el bastón, el lazarillo.[14] Y al decirlo le tocaba. El hombre la detuvo por un brazo.

—Pero, ¿qué es lo que va usted a hacer, buena mujer? ¿Qué le pasa?

—Déjeme, que se muere mi padre.

—Pero, ¿adónde va usted así?

—Déjeme, déjeme, por Santa Lucía bendita,[15] déjeme, me estorba[16] la vista, no veo mi camino con ella.

—Debe de ser loca —dijo el hombre por lo bajo[17] a otro a quien[18] había detenido lo extraño de la escena.

[1] **Venda** bandage; *here,* blindfold.
[2] **de pronto** suddenly.
[3] **despavorida** terrified.
[4] **preñados** full.
[5] **aterrar** to terrify.
[6] **náufrago** shipwrecked person.
[7] **tornar a +** *infinitive* to do (something) again.
[8] **desorientar** to confuse; to lose one's bearings.
[9] **que** *Omit. In this elliptical construction a verb, such as* **digo**, *is understood before* **que**.
[10] **quien** one who.
[11] **bastón** cane, walking stick.
[12] **ciega** blind.
[23] **hubo acabado** *The past anterior tense is restricted primarily to temporal clauses.*
[14] **lazarillo** (blind person's) guide.
[15] **bendita** blessed.
[16] **estorbar** to hinder; to obstruct.
[17] **por lo bajo** in a low voice.
[18] **a quien** whom; *the subject follows the verb* **lo extraño**.

Y ella, que lo oyó:

—No, no estoy loca; pero lo estaré si esto sigue, déjeme, que se
30 muere.

—Es la ciega —dijo una mujer que llegaba.

—¿La ciega? —replicó el hombre del bastón—. Entonces ¿para qué se venda los ojos?

—Para volver a serlo —exclamó ella.

35 Y tanteando [19] con el bastón el suelo, las paredes de las casas, febril [20] y ansiosa, parecía buscar en el mar de las tinieblas [21] una tabla de que asirse,[22] un resto cualquiera [23] del barco en que había hasta entonces navegado.

De pronto dio una voz, una voz de alivio,[24] y como una paloma
40 que elevándose en los aires revolotea [25] un momento buscando oriente [26] y luego como una flecha parte, partió [27] resuelta, tanteando con su bastón el suelo, la mujer vendada.[28]

Quedáronse en la calle los espectadores de semejante [29] escena, comentándola.

45 La pobre mujer había nacido ciega, y en las tinieblas nutrió [30] de dulce alegría su espíritu y de amores su corazón. Y ciega creció.

Su tacto [31] era, aun entre los ciegos, maravilloso, y era maravillosa la seguridad con que recorría la ciudad toda sin más lazarillo que su
50 palo. Era frecuente que alguno que la conocía le dijese: dígame, María, ¿en qué calle estamos? Y ella respondía sin equivocarse jamás.

Así, ciega, encontró quien de ella se prendase [32] y para mujer la tomara, y se casó ciega, abrazando a su hombre con abrazos que
55 era una contemplación.[33] Lo único que sentía era tener que separarse de su anciano padre; pero casi todos los días, bastón en mano, iba a tocarle y oírle y acariciarle. Y si por acaso la acompañaba su

[19] tantear to feel one's way; *here,* to tap.
[20] febril feverish.
[21] tinieblas darkness.
[22] de que asirse to hold on to.
[23] un resto cualquiera any remainder.
[24] alivio relief.
[25] revolotear to flutter.
[26] buscando oriente getting its bearings.
[27] partió *Subject comes at the end of the sentence.*
[28] *Note the effect of the splendid image in this paragraph.*
[29] semejante such a.
[30] nutrir to nourish.
[31] tacto (*sense of*) touch.
[32] prendarse de to take a liking to.
[33] que era una contemplación which (*referring to the whole idea*) was like a revelation.

marido, rehusaba[34] su brazo diciéndole con dulzura: no necesito tus ojos.

Por entonces[35] se presentó, rodeado de prestigiosa[36] aureola, cierto doctor especialista, que después de reconocer a la ciega, a la que había visto en la calle, aseguró que le daría la vista. Se difirió[37] la operación hasta que hubiese dado a luz[38] y se hubiese repuesto del parto.[39] 60

Y un día, más de terrible expectación que de júbilo para la pobre ciega, se obró el portento.[40] El doctor y sus compañeros tomaban notas de aquel caso curiosísimo, recogían con ansia datos[41] para la ciencia psicológica, asaeteándola[42] a preguntas. Ella no hacía más que palpar los objetos aturdida[43] y llevárselos a los ojos y sufrir, sufrir una extraña opresión de espíritu, un torrente de punzadas,[44] la lenta invasión de un nuevo mundo en sus tinieblas. 65 70

—¡Oh! ¿Eres tú? —exclamó al oír junto a sí la voz de su marido.

Y abrazándole y llorando, cerró los ojos para apoyar en la de él su mejilla.

Y cuando le llevaron al niño y lo tomó en brazos, creyeron que se volvía loca. Ni una voz, ni un gesto; una palidez mortal tan sólo. Frotó luego las tiernas carnecitas[45] del niño contra sus cerrados ojos y quedó postrada, rendida,[46] sin querer ver más. 75

—¿Cuándo podré ir a ver a mi padre? —preguntó.

—¡Oh! No, todavía no —dijo el doctor—. No es prudente que usted salga hasta haberse familiarizado algo con el mundo visual. 80

Y al día siguiente, precisamente al día siguiente de la portentosa cura, cuando empezaba María a gozar de una nueva infancia y a bañarse en la verdura de un nuevo mundo, vino un mensajero torpe,[47] torpísimo, y con los peores rodeos le dijo que su padre, baldado desde hacía[48] algún tiempo, se estaba muriendo de un nuevo ataque. 85

[34] rehusar to refuse; to reject.
[35] por entonces at about this time.
[36] prestigiosa aureola awesome halo (*ironical*).
[37] diferir to postpone.
[38] luz dar a luz to give birth.
[39] reponerse del parto to recover from childbirth.
[40] se obró el portento the miracle took place.
[41] datos data.
[42] asaetear to attack.
[43] aturdida bewildered.
[44] punzadas sharp pains.
[45] carnecitas *diminutive of* carne flesh.
[46] postrada, rendida weak, exhausted.
[47] torpe awkward.
[48] baldado desde hacía incapacitated for.

El golpe fue espantoso. La luz le quemaba el alma, y las tinieblas no le bastaban ya. Se puso como loca, se fue de su cuarto, cogió 90 un Crucifijo, cerró los ojos y palpándolo, rompió a llorar, exclamando:

—Mi vista, mi vista por su vida. ¿Para qué la quiero?

Y levantándose de pronto, se lanzó a la calle. Iba a ver a su padre, a verle por primera y por última vez acaso.

95 Entonces fue cuando la encontró el hombre del bastón, perdida en un mundo extraño, sin estrellas por que guiarse [49] como en sus años de noche se había guiado, casi loca. Y entonces fue cuando, una vez vendados [50] sus ojos, volvió a su mundo, a sus familiares tinieblas, y partió segura, como paloma que a su nido vuelve, a ver a su 100 padre.

Cuando entró en el paterno hogar, se fue derecha,[51] sin bastón, a través de corredores, hasta la estancia en que yacía [52] su padre moribundo y echándose a sus pies le rodeó el cuello con sus brazos, le palpó todo, le contempló con sus manos y sólo pudo articular entre 105 sollozos desgarradores: [53]

—¡Padre, padre, padre!

El pobre anciano, atontado, [54] sin conocimiento [55] casi, miraba con estupor aquella venda y trató de quitársela.

—No, no, no me la quites . . . no quiero verte; ¡padre, mi 110 padre, el mío, el mío!

—Pero, hija, hija mía —murmuraba el anciano.

—¿Estás loca? —le dijo su hermano—. Quítatela, María, no hagas comedias,[56] que la cosa va seria . . .

—¿Comedias? ¿Comedias? ¿Qué sabéis de eso vosotros?

115 —Pero, ¿es que no quieres ver a tu padre? Por primera, por última vez acaso . . .

—Porque quiero verle . . . pero a mi padre . . . al mío . . . al que [57] nutrió de besos mis tinieblas, porque quiero verle, no me quito de los ojos la venda . . .

120 Y le contemplaba ansiosa con sus manos cubriéndole de besos.

—Pero, hija, hija mía—repetía como por máquina el viejo.

[49] por que guiarse by which to guide herself.
[50] una vez vendados once (*her eyes*) were covered.
[51] derecha straight.
[52] yacer to lie.
[53] sollozos desgarradores heartrending sobs.
[54] atontar to stun; to bewilder.
[55] conocimiento consciousness.
[56] no hagas comedias stop this nonsense.
[57] al que him who

—Sea usted razonable —insinuó el sacerdote [58] separándola—, sea usted razonable.

—¿Razonable? ¿Razonable? Mi corazón está en las tinieblas, en ellas veo. 125

—*Et vita erat lux hominum et lux in tenebris lucet* . . .[59] —murmuró el sacerdote como hablando consigo mismo.

Entonces se acercó a María su hermano, y de un golpe rápido le arrebató [60] la venda. Todos se alarmaron entonces, porque la pobre mujer miró en torno de sí despavorida, como buscando algo a que 130 asirse. Y luego de reponerse murmurando ¡qué brutos son los hombres! cayó de hinojos [61] ante su padre preguntando:

—¿Es éste?

—Sí, ése es —dijo el sacerdote señalándosele—, ya no conoce.

—Tampoco yo conozco. 135

—Dios es misericordioso,[62] hija mía; ha permitido que pueda usted ver a su padre antes de que se muera . . .

—Sí, cuando ya él no me conoce, por lo visto . . .[63]

—La divina misericordia . . .

—Está en la oscuridad —concluyó María que, sentada sobre sus 140 talones,[64] pálida, con los brazos caídos, miraba, al través de su padre, al vacío.

Levantándose al cabo,[65] se acercó a su padre, y al tocarlo retrocedió aterrada exclamando:

—Frío, frío como la luz, muerto. 145

Y cayó al suelo presa de un síncope.[66]

Cuando volvió en sí se abrazó al cadáver, y cubriéndole de besos, repetía:

—¡Padre, padre! ¡No te he visto morir!

—Hay que cerrarle los ojos —dijo a María su hermano. 150

—Sí, sí, hay que cerrarle los ojos . . . que [67] no vea ya . . . que no vea ya . . . ¡Padre, padre! Ya está en las tinieblas . . . en el reino de la misericordia . . .

—Ahora se baña en la luz del Señor —dijo el sacerdote.

—María —le dijo su hermano con voz trémula tocándole [68] en 155

[58] sacerdote priest.
[59] Et . . . lucet "and the life was the light of men and the light shineth in darkness." *St. John,* 1:4, 5.
[60] arrebatar to snatch.
[61] de hinojos on her knees.
[62] misericordioso merciful.
[63] por lo visto evidently; as it seems.
[64] talón heel.
[65] al cabo finally.
[66] presa de un síncope in a faint.
[67] que + *subjunctive* let him.
[68] tocándole le = her.

un hombro—, eres madre, aquí te traen a tu niño, que olvidaste en casa al venirte; viene llorando . . .

—¡Ah! Sí. ¡Angelito! ¡Quiere pecho! [69] ¡Que le traigan!

Y exclamó en seguida:

160 —¡La venda! ¡La venda! ¡Tráeme pronto la venda, no quiero verle!

—Pero, María . . .

—Si no me vendáis los ojos no le doy de mamar.[70]

—Sé razonable, María . . .

165 —Os he dicho ya que mi razón está en las tinieblas . . .

La vendaron, tomó al niño, lo palpó, se descubrió [71] el pecho, y poniéndoselo a él, le apretaba [72] contra su seno [73] murmurando:

—¡Pobre padre! ¡Pobre padre!

[69] quiere pecho he is hungry.
[70] no le doy de mamar I will not nurse him.
[71] descubrir to uncover.
[72] apretar to squeeze; to press.
[73] seno bosom.

EXERCISES *La venda (short story)*

I. *Cuestionario.*

1. ¿Cómo andaba la mujer a quien vio venir el hombre?
2. ¿Por qué dice el hombre que debe de ser loca?
3. ¿A dónde desea ir la mujer? ¿Por qué?
4. Después de casarse, ¿dejó de ver a su padre?
5. ¿Qué portento se obró un día?
6. ¿Qué ofrecería la mujer por su padre?
7. ¿Quiénes están en la casa del padre? ¿Qué quieren que haga María?
8. Una vez quitada la venda, ¿ve María a su padre moribundo?
9. ¿En qué está la paradoja del cuento?
10. ¿Le parece a Vd. creíble la paradoja?

II. *Substitute an appropriate word, to be selected from the following list, for the italicized words in the sentences below.*

oscuridad	de pronto	tornar a
al cabo	venir	aterrado
bastón	recorrer	final

1. María dio unos pasos, se detuvo, y *volvió a andar*.

2. El hombre vio venir una mujer *despavorida.*
3. Mi razón está en las *tinieblas.*
4. Levantándose *al fin,* se acercó a su padre.
5. La ciega no puede andar sin *lazarillo.*
6. *De repente* se detuvo junto al hombre.
7. María, aquí te traen a tu niño, *está* llorando.
8. Era maravillosa la seguridad con que *andaba por* la ciudad.

III. *Substitute the nouns in parentheses for the direct object in the following sentence.*

María quiere ver a su padre. (*criada, hijos, esposo, casa, compañeras*)

Repeat the following sentences, substituting the appropriate pronoun for the noun object.

1. El padre le quita *la venda.*
2. El hombre me dio su *bastón.*
3. Que Dios le dé su *misericordia.*
4. No quiere a sus *hermanos.*
5. Dígame *la verdad.*

Point out the difference in meaning between the two following sentences, and offer several examples of your own in Spanish.

1. María se venda los ojos.
2. María le venda los ojos.

IV. *Translate the words in parentheses.*

1. María le rodeó (*his*) cuello con sus brazos.
2. Reconoció a la ciega, (*the one whom*) había visto en la calle.
3. Dios ha permitido que usted (*be able*) ver a su padre antes de que (*he dies*).
4. María miró en torno de (*her*).
5. El padre miró aquella venda y trató de (*take it away from her*).
6. ¿Dónde está mi niño? Que le (*they bring*).
7. (*The only thing*) que sentía era tener que separarse de su padre.

V. *Translate the English portions of the sentences below into Spanish. Be careful to distinguish between the preterite and imperfect tenses (a good example of the latter is to be seen in the second sentence of the story). The following idioms are used:*

prendarse de	acercarse a
haber que + *infinitive*	gozar de
tener que + *infinitive*	ponerse

1. Al día siguiente María empezó a *enjoy* una nueva infancia.
2. Y si la *accompanied* su marido, rehusaba su brazo.
3. *She became* como loca.
4. Entonces *it was* cuando la encontró el hombre.
5. *It was* frecuente que alguno que la *knew* le dijese: María, ¿en qué calle estamos?
6. Un joven *took a liking to* la ciega.
7. María *doesn't have to* quitar la venda para ver.
8. De vez en cuando *she gave* una voz de alivio.
9. Entonces *he approached* María y le arrebató la venda.
10. *We must* [it is necessary] cerrarle los ojos.

La venda

Drama En Un Acto Y Dos Cuadros

Personajes:

DON PEDRO	EL PADRE
DON JUAN	MARTA
MARÍA	JOSÉ
SEÑORA EUGENIA	CRIADA

CUADRO PRIMERO

En una calle de una vieja ciudad provinciana.

DON PEDRO. ¡Pues lo dicho,[74] no, nada de ilusiones! Al pueblo debemos darle siempre la verdad, toda la verdad, la pura verdad, y sea luego lo que fuere.[75]

DON JUAN. ¿Y si la verdad le[76] mata y la ilusión le vivifica?

5 DON PEDRO. Aun así. El que a manos de la verdad muere, bien muerto está, créemelo.

[74] lo dicho just what I said.

[75] sea luego lo que fuere come what may. *The future subjunctive* (fuere) *is rarely used today.*

[76] le *i.e.,* el pueblo.

DON JUAN. Pero es que hay que vivir . . .

DON PEDRO. ¡Para conocer la verdad y servirla! La verdad es vida.

DON JUAN. Digamos más bien: la vida es verdad.

DON PEDRO. Mira, Juan, que estás jugando con las palabras . . . 10

DON JUAN. Y con los sentimientos tú, Pedro.

DON PEDRO. ¿Para qué se nos dio [77] la razón, dime?

DON JUAN. Tal vez para luchar contra ella y así merecer la vida . . .

DON PEDRO. ¡Qué enormidad! [78] No, sino más bien para luchar en la vida y así merecer la verdad. 15

DON JUAN. ¡Qué atrocidad! [79] Tal vez nos sucede con la verdad lo que, según las Sagradas Letras,[80] nos sucede con Dios, y es que quien le ve se muere . . .

DON PEDRO. ¡Qué hermosa muerte! ¡Morir de haber visto la verdad! ¿Puede apetecerse [81] otra cosa? 20

DON JUAN. ¡La fe, la fe es la que nos da vida; por la fe vivimos, la fe nos da el sentido de la vida, nos da a Dios!

DON PEDRO. Se vive por la razón, amigo Juan; la razón nos revela el secreto del mundo, la razón nos hace obrar . . .

DON JUAN. (*Reparando en* MARÍA.) ¿Qué le pasará [82] a esa mujer? 25 (*Se acerca* MARÍA *como despavorida y quien no sabe dónde anda. Las manos extendidas, palpando el aire.*)

MARÍA. ¡Un bastón, por favor! Lo olvidé en casa.

DON JUAN. ¿Un bastón? ¡Ahí va! (*Se lo da.* MARÍA *lo coge.*)

MARÍA. ¿Dónde estoy? (*Mira en derredor.*) ¿Cuál es el camino? 30 Estoy perdida. ¿Qué es esto? ¿Cuál es el camino? Tome, tome; espere. (*Le devuelve el bastón.* MARÍA *saca un pañuelo y se venda con él los ojos.*)

DON PEDRO. Pero, ¿qué está usted haciendo, mujer de Dios? [83]

MARÍA. Es para mejor ver el camino. 35

DON PEDRO. ¿Para mejor ver el camino taparse los ojos? ¡Pues no lo comprendo!

MARÍA. ¡Usted no, pero yo sí!

DON PEDRO. (*A* DON JUAN, *aparte.*) Parece loca.

MARÍA. ¿Loca? ¡No, no! Acaso no fuera peor [84] ¡Oh, qué des- 40

[77] dio *with* se, *the passive voice in English* was given.
[78] ¡Qué enormidad! Nonsense!
[79] ¡Qué atrocidad! That's ridiculous!
[80] Sagradas Letras Holy Scriptures.
[81] apetecer to long for.
[82] pasará *In what sense is the future used here?*
[83] mujer de Dios my good woman.
[84] Acaso no fuera peor Perhaps it might not be worse; *i.e., madness could not be worse than my father's death.*

gracia, Dios mío, qué desgracia! ¡Pobre padre! ¡Pobre padre! Vaya, adiós y dispénsenme.

DON PEDRO. (*A* DON JUAN.) Lo dicho, loca.

DON JUAN. (*Deteniéndola.*) Pero ¿qué le pasa, buena mujer?

45 MARÍA. (*Vendada ya.*) Déme ahora el bastón, y dispénsenme.

DON JUAN. Pero antes explíquese . . .

MARÍA. (*Tomando el bastón.*) Dejémonos [85] de explicaciones, que se muere mi padre. Adiós. Dispénsenme. (*Lo toma.*) Mi pobre padre se está muriendo y quiero verle; quiero verle antes que

50 se muera. ¡Pobre padre! ¡Pobre padre! (*Toca con el bastón en los muros de las casas y parte.*)

DON PEDRO. (*Adelantándose.*[86]) Hay que detenerla; se va a matar. ¿Dónde irá así?

DON JUAN. (*Deteniéndole.*) Esperemos a ver. Mira qué segura

55 va, con qué paso tan firme. ¡Extraña locura! . . .

DON PEDRO. Pero si es que está loca . . .

DON JUAN. Aunque así sea. ¿Piensas con [87] detenerla, curarla? ¡Déjala!

DON PEDRO. (*A la* SEÑORA EUGENIA, *que pasa.*) Loca, ¿no es

60 verdad?

SEÑORA EUGENIA. ¿Loca? No, ciega.

DON PEDRO. ¿Ciega?

SEÑORA EUGENIA. Ciega, sí. Recorre así, con su bastón, la ciudad toda y jamás se pierde. Conoce sus callejas y rincones todos.

65 Se casó hará cosa de un año,[88] y casi todos los días va a ver a su padre, que vive en un barrio de las afueras.[89] Pero ¿es que ustedes no son de la ciudad?

DON JUAN. No, señora; somos forasteros.[90]

SEÑORA EUGENIA. Bien se conoce.

70 DON JUAN. Pero diga, buena mujer, si es ciega, ¿para qué se venda así los ojos?

SEÑORA EUGENIA. (*Encogiéndose* [91] *de hombros.*) Pues si he de decirles a ustedes la verdad, no lo sé. Es la primera vez que le [92] veo hacerlo. Acaso la luz le ofenda . . .

[85] dejarse de to put aside.
[86] adelantarse to move ahead.
[87] Piensas con do you think you can.
[88] hará cosa de un año it must be about a year ago.
[89] afueras outskirts.
[90] forastero outsider, stranger.
[91] encoger to shrug.
[92] le her. *Compare the next sentence.*

DON JUAN. ¿Si no ve, cómo va a dañarle la luz? 75

DON PEDRO. Puede la luz dañar a los ciegos . . .

DON JUAN. ¡Más nos daña a los que vemos!

(*La* CRIADA, *saliendo de la casa y dirigiéndose a la* SEÑORA EUGENIA.)

CRIADA. ¿Ha visto a mi señorita,[93] señora Eugenia? 80

SEÑORA EUGENIA. Sí; por allá abajo [94] va. Debe de estar ya en la calle del Crucero.

CRIADA. ¡Qué compromiso,[95] Dios mío, qué compromiso!

DON PEDRO. (*A la* CRIADA.) Pero dime, muchacha: ¿tu señora está ciega? 85

CRIADA. No, señor; lo estaba.

DON PEDRO. ¿Cómo que [96] lo estaba?

CRIADA. Sí; ahora ve ya.

SEÑORA EUGENIA. ¿Que ve? . . . ¿Cómo . . . , cómo es eso? ¿Qué es eso de [97] que ve ahora? Cuenta, cuenta. 90

CRIADA. Sí, ve.

DON JUAN. A ver,[98] a ver eso.

CRIADA. Mi señorita era ciega, ciega de nacimiento, cuando se casó con mi amo, hará cosa de un año; pero hace cosa de un mes vino un médico que dijo podía dársele la vista, y le operó y le 95 hizo ver. Y ahora ve.

SEÑORA EUGENIA. Pues nada de eso sabía yo . . .

CRIADA. Y está aprendiendo a ver y conocer las cosas. Las toca cerrando los ojos y después los abre y vuelve a tocarlas y las mira. Le mandó el médico que no saliera a la calle hasta cono- 100 cer bien la casa y lo de [99] la casa, y que no saliera sola, claro está. Y ahora ha venido no sé quién a decirle que su padre está muy malo, muy malo, muriéndose, y se empeñaba [100] en ir a verle. Quería que le acompañase yo, y es natural, me he negado [101] a ello. He querido impedírselo,[102] pero se me 105 ha escapado. ¡Vaya un compromiso!

[93] señorita mistress. *Servants use the diminutive form of* señor *and* señora *to refer to master and mistress.*

[94] por allá abajo down that way.

[95] compromiso situation.

[96] ¿Cómo que? What do you mean?

[97] eso de this business of (*her seeing now*).

[98] A ver Let's see; *here* tell us.

[99] lo de everything in.

[100] empeñarse en to insist on.

[101] negarse a to refuse.

[102] impedir to prevent; *the person involved* (*her*) *is indirect object* (le > se).

DON JUAN. (*A* DON PEDRO.) Mira, mira lo de [103] la venda; ahora me lo explico. Se encontró en un mundo que no conocía de vista. Para ir a su padre no sabía otro camino que el de las
110 tinieblas. ¡Qué razón tenía al decir que se vendaba los ojos para mejor ver su camino! Y ahora volvamos a lo de la ilusión y la verdad pura, a lo de la razón y la fe. (*Se van.*)

DON PEDRO. (*Al irse.*) A pesar de todo, Juan, a pesar de todo . . . (*No se les oye.*)

115 SEÑORA EUGENIA. Qué cosas tan raras dicen estos señores, y dime: ¿y qué va a pasar?

CRIADA. ¡Yo qué sé! A mí me dejó encargado [104] el amo, cuando salió a ver al abuelo—me parece que de ésta [105] se muere—que no se le dijese a ella nada, y no sé por quién lo ha
120 sabido . . .

SEÑORA EUGENIA. ¿Conque dices que ve ya?

CRIADA. Sí; ya ve.

SEÑORA EUGENIA. ¡Quién lo diría, mujer, quién lo diría, después que una la ha conocido así toda la vida, cieguecita [106] la pobre!
125 ¡Bendito sea Dios! Lo que somos, mujer, lo que somos. Nadie puede decir "de esta agua no beberé". Pero dime: ¿así que [107] cobró vista, qué fue lo primero que hizo?

CRIADA. Lo primero, luego que [107] se le pasó el primer mareo, pedir un espejo.

130 SEÑORA EUGENIA. Es natural . . .

CRIADA. Y estando mirándose en el espejo, como una boba,[108] sintió rebullir [109] al niño, y tirando el espejo se volvió a él, a verlo, a tocarlo . . .

SEÑORA EUGENIA. Sí; me han dicho que tiene ya un hijo . . .

135 CRIADA. Y hermosísimo . . . ¡Qué rico! [110] Fue apenas se repuso [111] del parto cuando le dieron vista. Y hay que verla con el niño. ¡Qué cosa hizo cuando le vio primero! Se quedó mirándole mucho, mucho, mucho tiempo y se echó a llorar. "¿Es esto mi hijo?", decía. "¿Esto?" Y cuando le da de mamar

[103] lo de *like* eso de this matter of, this business of.
[104] me dejó encargado made me promise (que no se le dijese a ella nada, *below*) that nothing be told to her.
[105] de ésta this time.
[106] cieguecita *diminutive of* ciega (*the poor*) dear blind woman.
[107] así que *and* luego que as soon as.
[108] boba simpleton.
[109] rebullir to stir.
[110] ¡Qué rico! How precious!
[111] Fue apenas se repuso She had scarcely recovered.

le toca y cierra los ojos para tocarle, y luego los abre y le mira y le besa y le mira a los ojos para ver si le ve, y le dice: "Me ves, ángel? ¿Me ves, cielo?" Y así . . . 140

SEÑORA EUGENIA. ¡Pobrecilla! Bien merece la vista. Sí, bien la merece, cuando hay por ahí tantas pendengonas[112] que nada se perdería aunque ellas no viesen ni las viese nadie. Tan buena, tan guapa . . . ¡ Bendito sea Dios! 145

CRIADA. Sí, como buena, no puede ser mejor . . .

SEÑORA EUGENIA. ¡Dios se la conserve! ¿Y no ha visto aún a su padre?

CRIADA. ¿Al abuelo? ¡Ella no! Al que lo ha llevado a que lo vea[113] es al niño. Y cuando volvió le llenó de besos, y le decía: "Tú, tú le has visto, y yo no! ¡Yo no he visto nunca a mi padre!" 150

SEÑORA EUGENIA. ¡Qué cosas pasan en el mundo! . . . ¿Qué le vamos a hacer, hija? . . . Dejarlo. 155

CRIADA. Sí, así es. Pero ahora ¿qué hago yo?

SEÑORA EUGENIA. Pues dejarlo.

CRIADA. Es verdad.

SEÑORA EUGENIA. ¡Qué mundo, hija, qué mundo!

CUADRO SEGUNDO

Interior de casa de familia clase media.

EL PADRE. Esto se acaba. Siento que la vida se me va por momentos. He vivido bastante y poca guerra[114] os daré ya. 160

MARTA. ¿Quién habla de dar guerras, padre? No diga esas cosas; cualquiera creería . . .

EL PADRE. Ahora estoy bien; pero cuando menos lo espere volverá el ahogo[115] y en una de éstas . . .[116] 165

MARTA. Dios aprieta, pero no ahoga, padre.

EL PADRE. ¡Así dicen! . . . Pero ésos son dichos,[117] hija. Los hombres se pasan la vida inventando dichos. Pero muero tranquilo, porque os veo a vosotras, a mis hijas, amparadas[118] ya en la vida. Y Dios ha oído mis ruegos y me ha concedido 170

[112] pendengona busybody.
[113] Al que lo ha llevado a que lo vea. The one whom she took to see him.
[114] guerra trouble; dar guerra to annoy; to be troublesome.
[115] ahogo suffocation, shortness of breath.
[116] éstas *i.e.,* times *or* occasions.
[117] dicho saying.
[118] amparar to protect; to shelter.

que mi María, cuya ceguera fue la constante espina[119] de mi corazón, cobre la vista antes de yo morirme. Ahora puedo morir en paz.

MARTA. (*Llevándole una taza de caldo.*[120]) Vamos, padre, tome,
175 que hoy está muy débil; tome.

EL PADRE. No se cura con caldos mi debilidad, Marta. Es incurable. Pero trae, te daré gusto. (*Toma el caldo.*) Todo esto es inútil ya.

MARTA. ¿Inútil? No tal.[121] Esas son aprensiones, padre, nada más
180 que aprensiones. No es sino debilidad. El médico dice que se ha iniciado una franca[122] mejoría.

EL PADRE. Sí, es la frase consagrada.[123] ¿El médico? El médico y tú, Marta, no hacéis sino tratar de engañarme. Sí, sí, ya sé que es con buena intención, por piedad, hija, por piedad; pero
185 ochenta años resisten a todo engaño.

MARTA. ¿Ochenta? ¡Bah! ¡Hay quien vive ciento!

EL PADRE. Sí, y quien se muere de veinte.

MARTA. ¿Quién habla de morirse, padre?

EL PADRE. Yo, hija; yo hablo de morirme.

190 MARTA. Hay que ser razonable . . .

EL PADRE. Sí, te entiendo, Marta. Y dime: tu marido, ¿dónde anda tu marido?

MARTA. Hoy le tocan trabajos de campo. Salió muy de mañana.

EL PADRE. ¿Y volverá hoy?

195 MARTA. ¿Hoy? ¡Lo dudo! Tiene mucho que hacer, tarea[124] para unos días.

EL PADRE. ¿Y si no vuelvo a verle?

MARTA. ¿Pues no ha de volver a verle, padre?

EL PADRE. ¿Y si no vuelvo a verle? Digo . . .

200 MARTA. ¿Qué le vamos a hacer? . . . Está ganándose nuestro pan.

EL PADRE. Y no puedes decir el pan de nuestros hijos, Marta.

MARTA. ¿Es un reproche, padre?

EL PADRE. ¿Un reproche? No . . . , no . . . , no . . .

205 MARTA. Sí; con frecuencia habla de un modo que parece como si

[119] espina thorn.
[120] caldo broth.
[121] No tal No, not at all.
[122] franca clear, evident.
[123] consagrada sacred, time-honored.
[124] tarea job, work.

me inculpara[125] nuestra falta de hijos . . . Y acaso debería regocijarse[126] por ello . . .

EL PADRE. ¿Regocijarme? ¿Por qué, por qué, Marta? . . .

MARTA. Porque así puedo yo atenderle mejor.

EL PADRE. Vamos sí, que yo, tu padre, hago para ti las veces de[127] hijo . . . Claro, estoy en la segunda infancia . . . , cada vez más niño . . . ; pronto voy a desnacer . . .[128] 210

MARTA. (*Dándole un beso.*) Vamos, padre, déjese de esas cosas . . .

EL PADRE. Sí, mis cosas, las que me dieron fama de raro . . . Tú siempre tan razonable, tan juiciosa,[129] Marta. No creas que me molestan tus reprimendas . . . 215

MARTA. ¿Reprimendas, yo? ¿Y a usted, padre?

EL PADRE. Sí, Marta, sí; aunque con respeto, me tratas como a un chiquillo antojadizo.[130] Es natural . . . (*Aparte.*) Lo mismo hice con mi padre yo. Mira: que Dios os dé ventura, y si ha de seros para bien, que os dé también hijos. Siento morirme sin haber conocido un nieto que me venga de ti. 220

MARTA. Ahí está el de mi hermana María.

EL PADRE. ¡Hijo mío! ¡Qué encanto de chiquillo! ¡Qué flor de carne![131] ¡Tiene los ojos mismos de su madre . . . , los mismos! Pero el niño ve, ¿no es verdad, Marta? El niño ve . . . 225

MARTA. Sí, ve . . . ; parece que ve . . .

EL PADRE. Parece . . .

MARTA. Es tan pequeñito, aún . . . 230

EL PADRE. ¡Y ve ella, ve ya ella, ve mi María! ¡Gracias, Dios mío, gracias! Ve mi María . . . Cuando yo ya había perdido toda esperanza . . . No debe desesperarse nunca, nunca . . .

MARTA. Y progresa de día en día. Maravillas hace hoy la ciencia . . . 235

EL PADRE. ¡Milagro eterno es la obra de Dios!

MARTA. Ella está deseando venir a verle, pero . . .

[125] inculpar to blame.

[126] regocijarse to rejoice; acaso debería regocijarse por ello and perhaps you are even glad about it.

[127] hacer las veces de to serve as; to substitute.

[128] desnacer to get or become unborn. *This kind of antithetical word coining is characteristic of Unamuno.*

[129] juciosa wise, judicious

[130] antojadizo capricious.

[131] ¡Qué flor de carne! What smooth skin!

EL PADRE. Pues yo quiero que venga, que venga en seguida, en seguida, que la vea yo, que me vea ella, y que le [132] vea como
240 me ve. Quiero tener antes de morirme el consuelo de que mi hija ciega me vea por primera, tal vez por última vez . . .

MARTA. Pero, padre, eso no puede ser ahora. Ya la verá usted y le verá ella cuando se ponga mejor . . .

EL PADRE. ¿Quién? ¿Yo? ¿Cuando me ponga yo mejor?

245 MARTA. Sí, y cuando ella pueda salir de casa.

EL PADRE. ¿Es que no puede salir ahora?

MARTA. No, todavía no; se lo ha prohibido el médico.

EL PADRE. El médico . . . , el médico . . . , siempre el médico . . . Pues yo quiero que venga. Ya que he visto, aunque
250 sólo sea un momento, a su hijo, a mi nietecillo, quiero antes de morir ver que ella me ve con sus hermosos ojos . . .

(*Entra* JOSÉ.)

EL PADRE. Hola, José, ¿tu mujer?

JOSÉ. María, padre, no puede venir. Ya se la traeré cuando pasen
255 unos días.

EL PADRE. Es que cuando pasen unos días habré yo ya pasado.

MARTA. No le hagas caso; ahora le ha entrado la manía de que tiene que morirse.

EL PADRE. ¿Manía?

260 JOSÉ. (*Tomándole el pulso.*) Hoy está mejor el pulso, parece.

MARTA. (*A* JOSÉ, *aparte.*) Así; hay que engañarle.

JOSÉ. Sí, que se muera sin saberlo.

MARTA. Lo cual no es morir.

EL PADRE. ¿Y el niño, José?

265 JOSÉ. Bien, muy bien, viviendo.

EL PADRE. ¡Pobrecillo! Y ella loca de contenta con eso de ver a su hijo . . .

JOSÉ. Figúrese, padre.

EL PADRE. Tenéis que traérmelo otra vez, pero pronto, muy pronto.
270 Quiero volver a verle. Como que me rejuvenece. Si le viese aquí, en mis brazos, tal vez todavía resistiese [133] para algún tiempo más.

JOSÉ. Pero no puede separársele mucho tiempo de su madre.

EL PADRE. Pues que me le traiga ella.

[132] le her.
[133] resistiese *More common as a substitute for the conditional tense is the subjunctive in* -ra.

JOSÉ. ¿Ella? 275

EL PADRE. Ella, sí; que venga con el niño. Quiero verla con el niño y con vista y que me vean los dos . . .

JOSÉ. Pero es que ella . . .

(EL PADRE *sufre un ahogo.*)

JOSÉ. (*A* MARTA.) ¿Cómo va? 280

MARTA. Mal, muy mal. Cosas del corazón . . .

JOSÉ. Sí, muere por lo que ha vivido; muere de haber vivido.[134]

MARTA. Está, como ves, a ratos [135] tal cual.[136] Estos ahogos se le pasan pronto, y luego está tranquilo, sosegado, habla bien, discurre bien . . . El médico dice que cuando menos lo 285 pensemos se nos quedará muerto, y que sobre todo hay que evitarle las emociones fuertes. Por eso creo que no debe venir tu mujer; sería matarle . . .

JOSÉ. ¡Claro está!

EL PADRE. Pues, sí, yo quiero que venga. 290

(*Entra* MARÍA *vendada.*)

JOSÉ. Pero mujer, ¿qué es esto?

MARTA. (*Intentando detenerla.*) ¿Te has vuelto loca, hermana?

MARÍA. Déjame, Marta.

MARTA. Pero ¿a qué vienes? 295

MARÍA. ¿A qué? ¿Y me lo preguntas, tú, tú, Marta? A ver al padre antes que se muera . . .

MARTA. ¿Morirse?

MARÍA. Sí; sé que se está muriendo. No trates de engañarme.

MARTA. ¿Engañarte yo? 300

MARÍA. Sí, tú. No temo a la verdad.

MARTA. Pero no es por ti, es por él, por nuestro padre. Esto puede precipitarle su fin . . .

MARÍA. Ya que ha de morir, que muera conmigo.

MARTA. Pero . . . ¿qué es eso? (*Señalando la venda.*) ¡Quítatelo! 305

MARÍA. No, no, no me la quito; dejadme. Yo sé lo que me hago.

MARTA. (*Aparte.*) ¡Siempre lo mismo!

EL PADRE. (*Observando la presencia de* MARÍA.) ¿Qué es eso? ¿Quién anda ahí? ¿Con quién hablas? ¿Es María? ¡Sí, es María! ¡María! ¡María! ¡Gracias a Dios que has venido! 310

[134] Sí, muere . . . vivido *Another typical example of Unamuno's style.*

[135] a ratos from time to time.

[136] tal cual like this.

(*Se adelanta* MARÍA, *deja el bastón y sin desvendarse se arrodilla al pie de su padre, a quien acaricia.*)

MARÍA. Padre, padre; ya me tienes [137] aquí, contigo.

EL PADRE. ¡Gracias a Dios, hija! Por fin tengo el consuelo de verte
315 antes de morirme. Porque yo me muero . . .

MARÍA. No, todavía no, que estoy yo aquí.

EL PADRE. Sí, me muero.

MARÍA. No; tú no puedes morirte, padre.

EL PADRE. Todo nacido muere . . .

320 MARÍA. ¡No, tú no! Tú . . .

EL PADRE. ¿Qué? ¿Que no nací? No me viste tú nacer, de cierto, hija. Pero nací . . . y muero . . .

MARÍA. ¡Pues yo no quiero que te mueras, padre!

MARTA. No digáis bobadas. (*A* JOSÉ.) No se debe hablar de la
325 muerte, y menos a moribundos.

JOSÉ. Sí, con el silencio de la conjura.[138]

EL PADRE. (*A* MARÍA.) Acércate, hija, que no te veo bien; quiero que me veas antes de yo morirme, quiero tener el consuelo de morir después de haber visto que tus hermosos ojos me vieron.
330 Pero, ¿qué es eso? ¿Qué es eso que tienes, ahí, María?

MARÍA. Ha sido para ver el camino.

EL PADRE. ¿Para ver el camino?

MARÍA. Sí; no lo conocía.

EL PADRE. (*Recapacitando.*[139]) Es verdad; pero ahora que has
335 llegado a mí, quítatelo. Quítate eso. Quiero verte los ojos; quiero que me veas; quiero que me conozcas . . .

MARÍA. ¿Conocerte? Te conozco bien, muy bien, padre. (*Acariciándole.*) Éste es mi padre, éste, éste y no otro. Éste es el que sembró [140] de besos mis ojos ciegos, besos que al fin, gracias
340 a Dios, han florecido; el que me enseñó a ver lo invisible y me llenó de Dios el alma. (*Le besa en los ojos.*) Tú viste por mí, padre, y mejor que yo. Tus ojos fueron míos. (*Besándole en la mano.*) Esta mano, esta santa mano, me guió por los caminos de tinieblas de mi vida. (*Besándole en la boca.*)
345 De esta boca partieron [141] a mi corazón las palabras que

[137] tienes (*Note that María uses* tú *with her father, unlike Marta, who uses* usted.

[138] conjura conspiracy.

[139] recapacitar to run over in one's mind.

[140] sembrar to seed; to sow.

[141] partieron (a) penetrated.

enseñan lo que en la vida no vemos. Te conozco, padre, te conozco; te veo, te veo muy bien, te veo con el corazón. (*Le abraza.*) ¡Éste, éste es mi padre y no otro! Éste, éste, éste . . .

JOSÉ. ¡María!

MARÍA. (*Volviéndose.*) ¿Qué? 350

MARTA. Sí, con esas cosas le estás haciendo daño. Así se le excita . . .

MARÍA. ¡Bueno, dejadnos! ¿No nos dejaréis aprovechar la vida que nos resta? [142] ¿No nos dejaréis vivir?

JOSÉ. Es que eso . . . 355

MARÍA. Sí, esto es vivir, esto. (*Volviéndose a su padre.*) Esto es vivir, padre, esto es vivir.

EL PADRE. Sí, esto es vivir; tienes razón, hija mía.

MARTA. (*Llevando una medicina.*) Vamos, padre, es la hora; a tomar [143] esto. Es la medicina . . . 360

EL PADRE. ¿Medicina? ¿Para qué?

MARTA. Para sanarse.

EL PADRE. Mi medicina (*señalando a* MARÍA) es ésta. María, hija mía, hija de mis entrañas . . .[144]

MARTA. Sí, ¿y la otra? 365

EL PADRE. Tú viste siempre, Marta. No seas envidiosa.

MARTA. (*Aparte.*) Sí, ella ha explotado su desgracia.

EL PADRE. ¿Qué rezongas [145] ahí tú, la juiciosa?

MARÍA. No la reprendas,[146] padre. Marta es muy buena. Sin ella, ¿qué hubiéramos hecho [147] nosotros? ¿Vivir de besos? Ven, 370 hermana, ven. (MARTA *se acerca, y las dos hermanas se abrazan y besan.*) Tú, Marta, naciste con vista; has gozado siempre de la luz. Pero déjame a mí, que no tuve otro consuelo que las caricias de mi padre.

MARTA. Sí, sí, es verdad. 375

MARÍA. ¿Lo ves, Marta, lo ves? Si tú tienes que comprenderlo . . . (*La acaricia.*)

MARTA. Sí, sí; pero . . .

MARÍA. Deja los peros,[148] hermana. Tú eres la de los peros . . . ¿Y qué tal? ¿Cómo va padre? 380

[142] restar to remain.
[143] a tomar let's take.
[144] entrañas heart.
[145] rezongar to grumble; to mutter.
[146] reprender to scold; to reproach.
[147] hubiéramos hecho = habríamos hecho.
[148] peros *referring to* pero, *above* but's.

MARTA. Acabando . . .
MARÍA. Pero . . .
MARTA. No hay pero que valga.[149] Se le va la vida por momentos . . .
385 MARÍA. Pero con la alegría de mi curación, con la de ver al nieto. Yo creo . . .
MARTA. Tú siempre tan crédula y confiada, María. Pero no, se muere, y acaso sea mejor. Porque esto no es vida. Sufre y nos hace sufrir a todos. Sea lo que haya de ser, pero que no
390 sufra . . .
MARÍA. Tú siempre tan razonable, Marta.
MARTA. Vaya, hermana, conformémonos [150] con lo inevitable. (*Abrázanse.*) Pero quítate eso,[151] por Dios. (*Intenta quitárselo.*)
395 MARÍA. No, no, déjamela . . .[152] Conformémonos, hermana.
MARTA. (*A* JOSÉ.) Así acaban siempre estas trifulcas [153] entre nosotras.
JOSÉ. Para volver a empezar.
MARTA. ¡Es claro! Es nuestra manera de querernos . . .
400 EL PADRE. (*Llamando.*) María, ven. ¡Y quítate esa venda, quítatela! ¿Por qué te la has puesto? ¿Es que la luz te daña?
MARÍA. Ya te he dicho que fue para ver el camino al venir a verte.
EL PADRE. Quítatela; quiero que me veas a mí, que no soy el camino.
405 MARÍA. Es que te veo. Mi padre es éste y no otro. (EL PADRE *intenta quitársela y ella le retiene las manos.*) No, no; así, así.
EL PADRE. Por lo menos que te vea los ojos, esos hermosos ojos que nadaban [154] en tinieblas, esos ojos en los que tantas veces me vi mientras tú no me veías con ellos. Cuántas veces me
410 quedé extasiado contemplándotelos, mirándome dolorosamente [155] en ellos y diciendo: "¿Para qué tan hermosos si no ven?"
MARÍA. Para que tú, padre, te vieras en ellos; para ser tu espejo, un espejo vivo.

[149] No hay pero que valga no but about it.
[150] conformarse (con) to resign oneself (*to*).
[151] eso *i.e.*, the handkerchief over her eyes.
[152] déjamela: la *refers to* la venda.
[153] trifulca squabble, row.
[154] nadar to swim. *The idea of this figure goes back to the short story:* parecía buscar en el mar de las tinieblas.
[155] dolorosamente sorrowfully.

EL PADRE. ¡Hija mía! ¡Hija mía! Más de una vez mirando así yo tus ojos sin vista, cayeron a [156] ellos desde los míos lágrimas de dolorosa resignación . . . 415

MARÍA. Y yo las lloré luego, tus lágrimas, padre.

EL PADRE. Por esas lágrimas, hija, por esas lágrimas, mírame ahora con tus ojos; quiero que me veas . . . 420

MARÍA. (*Arrodillada al pie de su padre.*) Pero sí te veo, padre, sí te veo . . .

CRIADA. (*Desde dentro, llamando.*) ¡Señorito!

JOSÉ. (*Yendo a su encuentro.*[157]) ¿Qué hay?

CRIADA. (*Entra llevando al niño.*) Suponiendo que no volverían y como empezó a llorar, lo he traído; pero ahora está dormido . . . 425

JOSÉ. Mejor; déjalo; llévalo.

MARÍA. (*Reparando.*) ¡Ah! ¡Es el niño! Tráelo, tráelo, José.

EL PADRE. ¿El niño? ¡Sí, traédmelo! 430

MARTA. ¡Pero, por Dios! . . .

(*La* CRIADA *trae al niño; lo toma* MARÍA, *lo besa y se lo pone delante al abuelo.*)

MARÍA. Aquí lo tienes, padre. (*Se lo pone en el regazo.*[158])

EL PADRE. ¡Hijo mío! Mira cómo sonríe en sueños. Dicen que es [159] que está conversando con los ángeles . . . ¿Y ve, María, ve? 435

MARÍA. Ve sí, padre, ve.

EL PADRE. Y tiene tus ojos, tus mismos ojos . . . A ver, a ver, que los abra . . . 440

MARÍA. No, padre, no; déjale que duerma. No se debe despertar a los niños cuando duermen. Ahora está en el cielo. Está mejor dormido.

EL PADRE. Pero tú ábrelos . . . , quítate eso . . . , mírame . . . ; quiero que me veas y que te veas aquí, ahora, quiero ver que me ves . . . , quítate eso. Tú me ves acaso, pero yo no veo que me ves, y quiero ver que me ves; quítate eso . . . 445

MARTA. ¡Bueno, basta de estas cosas! ¡Ha de ser el último! [160] ¡Hay que dar ese consuelo al padre! (*Quitándole la venda.*) ¡Ahí tienes a nuestro padre, hermana! 450

[156] a on.
[157] Yendo a su encuentro going over to (*meet*) her.
[158] regazo lap.
[159] que es that this means.
[160] el último *i.e.*, consuelo *or* favor.

MARÍA. ¡Padre! (*Se queda como despavorida mirándole. Se frota los ojos, los cierra, etc.* EL PADRE *lo mismo.*)

JOSÉ. (*A* MARTA.) Me parece demasiado fuerte la emoción. Temo que su corazón no la resista.

455 MARTA. Fue una locura esta venida de tu mujer . . .

JOSÉ. Estuviste algo brutal . . .

MARTA. ¡Hay que ser así con ella!

(EL PADRE *coge la mano de* MARTA *y se deja caer en el sillón, exánime.*[161] MARTA *le besa en la frente y se enjuga*[162] *los ojos. Al* 460 *poco rato,* MARÍA *le toca la otra mano, la siente fría.*)

MARÍA. ¡Oh, fría, fría! . . . Ha muerto . . . ¡Padre! ¡Padre! No me oye . . . ni me ve . . . ¡Padre! ¡Hijo, voy,[163] no llores! . . . ¡Padre! . . . ¡La venda, la venda otra vez! ¡No quiero volver a ver!

EXERCISES *La venda (play, cuadro primero)*

I. *Cuestionario.*

1. ¿Sobre qué disputan Don Pedro y Don Juan?
2. ¿Para qué sirve el diálogo entre los dos hombres?
3. ¿Quién se acerca a los dos señores? Describa Vd. esta persona.
4. ¿Qué hace ella con un pañuelo?
5. ¿Por qué cree Don Pedro que María está loca?
6. Señora Eugenia dice que María está ciega. ¿Es verdad?
7. ¿Qué es un forastero?
8. ¿Cómo recobró María la vista?
9. Así que cobró la vista, ¿qué fue lo primero que hizo?
10. ¿A dónde va María? ¿Por qué?

II. *Fill in the blanks in the sentences below with an appropriate word from the following list.*

camino	vendar	morir
médico	tapar	barrio
forastero	ciego	extranjero
conocer	bastón	bendito

[161] exánime lifeless.
[162] enjugar to dry; to wipe.
[163] voy I'm coming.

1. María pide a los hombres un ________.
2. Estoy perdida. ¿Cuál es el ________?
3. Me ________ los ojos para mejor ver el camino.
4. Quiero ver a mi padre antes que se ________.
5. Su padre vive en un ________ de las afueras.
6. No soy de la ciudad; soy ________.
7. Mi señora no está ________; lo estaba.
8. Hace un mes vino un ________ que le operó y le hizo ver.
9. María está aprendiendo a ver y a ________ las cosas.
10. Bien merece la vista. ¡________ sea Dios!

III. A. *Substitute for* creer, *in the following command, the verbs in parentheses. Then give the forms in the negative:* créemelo (decir, mandar, poner, dar, escribir).

B. *Give the appropriate form of the verb in parentheses.*

1. Nada se perdería aunque ellas no (*ver*).
2. Su padre mandó que María (*quitarse*) la venda.
3. ¡Dios se la (*conservar*)!
4. Cuando (*volver*), le llenó de besos.
5. Mi señora quería que la (*acompañar*) yo.
6. Quiero verle antes que (*irse*).

C. *Offer original sentences in Spanish using the following idioms.*

tener razón	volver a + *infinitive*
a pesar de	lo de *or* eso de
haber de + *infinitive*	empeñarse en

IV. *Translate the following sentences into Spanish.*

1. Tell me, good woman, why do you cover your eyes?
2. She must be mad.
3. The doctor ordered her not to go out into the street.
4. In spite of her blindness [*ceguera*], she knows the whole city better than I.
5. I don't understand this matter of the bandage.
6. She insists on seeing her father before he dies.
7. One lives for truth.
8. The best thing is that she can now see her child.

EXERCISES *La venda (play, cuadro segundo)*

I. *Cuestionario.*

1. ¿Cómo trata Marta a su padre?
2. ¿Es María "tan razonable, tan juiciosa" como Marta?
3. ¿Qué le parece al padre la ciencia?
4. ¿Por qué no quiere Marta que venga María a casa del padre?
5. Si no ve María a su padre con los ojos, ¿con qué le ve?
6. ¿Qué es la mejor medicina para el padre?
7. ¿Se quieren las dos hermanas?
8. ¿Cuál es la mayor preocupación del padre por su nietecillo?
9. ¿Quién le quita a María la venda? ¿Es lógico que sea esta persona quien lo hace?
10. Al morirse su padre, ¿quiere María volver a ver?

II. *Translate the words in parentheses into Spanish.*

1. No quiere ir (*with me*).
2. El padre quiere más (*Mary*), (*whose*) ceguera fue la espina de su corazón.
3. Esas son aprensiones, nada (*but*) aprensiones.
4. Mi marido no vuelve porque tiene mucho (*to do*).
5. No tengo hijo, pero ahí está (*my sister's*).
6. Que se muera sin saberlo, (*which*) no es morir.
7. Éste es mi padre, (*the one who*) me enseñó a ver (*that which is invisible*).
8. Tus ojos fueron (*mine*).
9. ¡(*What a*) niño tan hermoso!
10. Hice (*the same thing*) con mi padre.

III. *Select the appropriate verb form in parentheses.*

1. Dios me ha concedido que María (*cobra, cobre, cobrase*) la vista.
2. Parece como si usted me (*inculpara, inculpe*) nuestra falta de hijos.
3. La verá usted cuando (*se pone, se ponga, se pondrá*) mejor.
4. No se debe despertar a los niños cuando (*duermen, duerman*).
5. El médico dice que cuando menos lo (*pensamos, pensemos, pensábamos*) se nos quedará muerto.
6. A ver al padre antes que (*se muera, se muere, morirse*).

7. Si (*está, esté, estuviese*) el niño aquí, tráemelo.
8. Quiero tener antes de (*me muera, me muere, morirme*) el consuelo de ver a mi hija.
9. Si (*viese, veía, vería*) al chiquillo aquí, resistiría para algún tiempo más.
10. No toques al niño; déjale que (*dormir, duerma, duerme*).

IV. *Review the following idioms, and translate the sentences below.*

Hacer caso a	¿qué hay?
dar guerra	muy de mañana

1. My husband left very early.
2. I doubt that he will return tonight.
3. He has too much to do.
4. Did you call me? What's the matter?
5. He says that he is going to die, but don't mind him.
6. I know that I have been troublesome to you.

RAMÓN GÓMEZ DE LA SERNA
1891–1962

PROLIFIC VANGUARD NOVELIST, *dramatist, biographer, and critic, Ramón Gómez de la Serna is most famous for the hundreds, if not thousands, of greguerías which he began to compose in Madrid in 1910. Quite characteristically—his eccentricities, such as delivering lectures from a trapeze or, as he did in Paris, mounted on the back of an enormous elephant, were legion—he tells us that to baptize the new genre, he pulled a word "out of the hat"; it was greguería (literally, din, hubbub) in the singular, which he "planted and got a whole garden of greguerías. I kept the word because of its euphony and the secrets that it contains in its sex."*

Definitions, including those of the author, seem to be about as numerous as the greguerías themselves. With their predilection for metaphor, perhaps it is not an exaggeration to call them miniature poems in prose. As you will see, they are short, concise statements—he refused to call them maxims—humorous, witty, skeptical, and ironic observations provoked by any insignificant detail ("las cosas pequeñas tienen valor de cosas grandes"). Startling images, in addition to the metaphors, hyperbole, and ingenious plays on word and idiom, are favorite devices in his distortion of objective reality. In a simple but telling formula, Ramón Gómez de la Serna, who died in Buenos Aires in 1962, once defined his product as humorismo + metáfora = greguería.

Greguerías

El 4 tiene la nariz griega.

Los cementerios están llenos de panteones [1] de los "que se rieron los últimos".

Era tan mal guitarrista, que se le [2] fue la guitarra con otro.

Persia es el único país que tiene el paisaje alfombrado.[3] 5

Lo que vale más es soltar [4] el pájaro que se tenga en la mano.

O se cura uno al salir del portal [5] del doctor, o habrá que volver muchas veces.

Cuando la mujer se da [6] *rouge* frente a su espejito,[7] parece que aprende a decir la O. 10

Lo malo de la Luna es que allí sólo hay bares lácteos.[8]

El ciego mueve su blanco bastón como si tomase la temperatura a [9] la indiferencia humana.

Los rumores son grandes equilibristas,[10] pues se suben unos sobre otros y nunca se caen. 15

Los viudos son mutilados [11] de guerra.

Lo que obsesiona a la mujer moderna es lograr [12] que su pulsera [13] llegue a ser su cinturón.[14]

El que se tira del piso diecisiete ya no es un suicida, sino un aviador. 20

Lo más grave es que el burro tiene dentadura [15] de hombre.

La mujer se limpia con un pañolito [16] muy chico los grandes dolores, y los grandes catarros.[17]

[1] panteón pantheon; *here,* tombstone.
[2] le (from him). *Do not translate.*
[3] alfombrar to carpet.
[4] soltar to turn loose; to set free.
[5] portal *here,* office.
[6] darse *here,* to put on.
[7] espejito *diminutive of* espejo mirror.
[8] bares lácteos milk bars.
[9] a of.
[10] equilibrista acrobat.
[11] mutilado casualty.
[12] lograr to attain; to succeed.
[13] pulsera bracelet.
[14] cinturón waist.
[15] dentadura set of teeth.
[16] pañolito handkerchief.
[17] catarro cold (head cold).

Al atardecer,[18] pasa con vuelo rápido una paloma que lleva la
25 llave con que cerrar el día.

Monólogo quiere decir el mono [19] que habla solo.

El que grita en la conferencia: [20] "¡Más fuerte,[21] que no se oye!", no se sabe si es un admirador, un saboteador o un sordo.[22]

Las violetas son actrices retiradas en el otoño de su vida.

30 La Medicina ofrece curar dentro de cien años a los que se están muriendo ahora mismo.

Cuando se llega al verdadero escepticismo [23] es cuando, por fin, se sabe que escepticismo no se escribe con X.

Después del eclipse, la luna se queda lavándose la cara para
35 quitarse el tizne.[24]

El que se despierta de la siesta al atardecer, nota que le han robado el día mientras dormía.

El crespón [25] es la telaraña [26] de las viudas para pescar un nuevo marido.

40 El que en las estaciones se sienta en su maleta, parece un expulsado [27] del mundo.

El agua no tiene memoria: por eso es tan limpia.

Cada tumba tiene su reloj despertador [28] puesto en la hora del Juicio final.

45 En la guía de teléfonos todos somos seres [29] casi microscópicos.

Comidas las uvas,[30] quedan en el plato las venas del racimo.[31]

Después de usar el dentífrico,[32] nos miramos los dientes con gesto de fieras.[33]

[18] al atardecer late afternoon; towards evening.
[19] mono monkey. *Note how the author humorously distorts the etymology* (*monos,* alone, *and logos,* word, speech.)
[20] conferencia lecture.
[21] más fuerte louder.
[22] sordo deaf (person).
[23] escepticismo skepticism.
[24] tizne soot.
[25] crespón crape.
[26] telaraña cobweb.
[27] expulsado outcast.
[28] reloj despertador alarm clock.
[29] seres people, human beings.
[30] uva grape.
[31] racimo bunch; cluster.
[32] dentífrico toothpaste.
[33] fiera wild beast.

El león daría la mitad de su vida por un peine.[34]

Si os tiembla la cerilla [35] al dar lumbre [36] a una mujer, estáis perdidos. 50

El coleccionista de sellos se cartea [37] con el pasado.

El cantar rabioso del gallo [38] quiere decir, traducido: "¡Maldito sea el cuchillo!"

Las sombras que ponen las nubes en el panorama son como esponjas [39] grises que absorben el pensamiento del paisaje. 55

Si hubiese habido fotógrafo en el Paraíso, habría sido bochornoso [40] el retrato de bodas de Adán y Eva.

Los hombres de gran barriga [41] parece que se pasean con el salvavidas [42] puesto. 60

El grito más agudo de la noche es el del gato que se queja de una indigestión de ratones.

El gran constructor hubiera sido un feliz millonario si no se le hubiese presentado cemento en el hígado.[43]

Si el caracol [44] sube esa tapia [45] es porque espera encontrar un huerto, no un cementerio. 65

La mujer es tan lista, que en seguida conoce si los guisantes [46] son naturales o de lata.[47]

Los pingüinos [48] son unos niños que se han escapado de la mesa con el babero [49] puesto y manchado de huevo. 70

Los cocodrilos de circo son falsos, porque nunca les hemos oído llorar.

La sidra [50] quisiera ser champaña, pero no puede porque no ha viajado bastante por el extranjero.

[34] peine comb.
[35] cerilla (little wax) match.
[36] lumbre light.
[37] cartearse to correspond.
[38] gallo cock, rooster.
[39] esponja sponge.
[40] bochornoso embarrassing.
[41] barriga belly.
[42] salvavidas life preserver.
[43] hígado liver.
[44] caracol snail.
[45] tapia wall.
[46] guisante pea.
[47] lata can.
[48] pingüinos penguins.
[49] babero bib.
[50] sidra cider.

75 Lo peor del viaje de la vida es la llegada a la estación Cloroformo.

Era tan celoso, que temía que las máquinas de pesar [51] que entregan un *ticket* con el peso, le diesen a su mujer billetes [52] de amor.

Entre los carriles [53] de la vía [54] del tren crecen las flores suicidas.

Como con los sellos de correo, sucede con los besos: que hay los
80 que pegan [55] y los que no pegan.

Si hay una miga [56] en la cama, el sueño estará lleno de promontorios y peñascos.[57]

Plebiscito es una palabra en diminutivo, porque lo que menos figura en él es el voto de la plebe.[58]

85 En las máquinas de escribir sonríe la dentadura postiza [59] del alfabeto.

Cuando la mujer pide ensalada de frutas para dos perfecciona [60] el pecado original.

El niño que escribe sacando la punta de la lengua revela que va a
90 ser un goloso.[61]

El que al dar limosna [62] elige la moneda [63] más pequeña se quedará pidiendo limosna a la puerta del Paraíso.

El arco iris es la cinta que se pone la Naturaleza después de haberse lavado la cabeza.

95 El óvalo es el círculo que adelgazó.[64]

El beso es un paréntesis sin nada dentro.

Los perros nos enseñan la lengua como si nos hubiesen tomado por el doctor.

El orador [65] es un instrumento de viento que toca solo.

[51] máquina de pesar scales.
[52] billete *pun on its meaning of* ticket *and* love note.
[53] carril rail.
[54] vía track.
[55] pegar to stick.
[56] miga crumb.
[57] peñasco large rock.
[58] plebe common people.
[59] postizo false.
[60] perfeccionar to improve; to perfect.
[61] goloso glutton.
[62] limosna alms.
[63] elegir la moneda to select the coin.
[64] adelgazar to become thin.
[65] orador orator.

Los cigarros son los dedos del tiempo que se convierten en ceniza.[66] 100

Las pasas [67] parecen uvas octogenarias.

La almohada [68] siempre es convaleciente.

La mosca se posa sobre lo escrito, lo lee y se va, como despreciando lo que ha leído. ¡Es el peor crítico literario! 105

Las lágrimas que se vierten [69] en las despedidas [70] de barco son más saladas [71] que las otras.

EXERCISES *Greguerías*

I. *Translate the words in parentheses into Spanish.*

1. Persia es el (*only*) país que tiene el paisaje alfombrado.
2. (*The bad thing*) de la Luna es que allí (*only*) hay bares lácteos.
3. (*He who*) se tira del piso diecisiete ya no es un suicida, (*but*) un aviador.
4. La medicina ofrece curarnos dentro de (*one hundred*) años.
5. (*After the*) eclipse, la luna se lava la cara.
6. (*Water*) no tiene memoria: (*that is why*) es tan limpia.
7. El grito más agudo de la noche es (*the cat's*).
8. (*The worst thing*) del viaje es la despedida.
9. Los mejores besos son (*those which*) pegan.
10. Con la palabra plebiscito, (*what*) menos figura en (*it*) es el voto de la plebe.
11. El beso es un paréntesis sin (*anything*) dentro.
12. Es el (*best*) crítico literario.

II. *Translate the verbs in parentheses into Spanish.*

1. Si no se cura uno la primera vez, (*it will be necessary*) volver muchas veces.
2. El ciego mueve su bastón como si nos (*were taking*) la temperatura.
3. La mujer moderna espera que su pulsera (*will become*) su cinturón.
4. Monólogo (*means*) el mono que habla solo.

[66] ceniza ashes.
[67] pasa raisin.
[68] almohada pillow.
[69] verter to shed.
[70] despedida farewell.
[71] salado salty.

5. (*He wakes up*) muy tarde de la siesta.
6. (*He is sitting*) en su maleta.
7. Después de (*using*) el dentífrico, nos miramos los dientes.
8. El león (*would give*) la mitad de su vida por un peine.
9. El cantar del gallo quiere decir: ¡Maldito (*be*) el cuchillo!
10. Si (*there had been*) fotógrafo en el Paraíso, (*would have been*) bochornoso el retrato de bodas de Adán y Eva.
11. La sidra (*would like*) ser champaña.
12. Temía que las máquinas de pesar (*would give*) a su mujer billetes de amor.

III. *Translate the following sentences into Spanish.*

1. His nose is not large but small.
2. The curious [*curioso*] thing is that he is not jealous.
3. She is the only girl I have never heard cry.
4. He talks to me as if I were his son.
5. If you buy stamps, give me some.
6. Those who lick [*lamer*] their fingers are crazy.
7. The most beautiful picture in the world is my mother's.
8. I do not like what he says about women.
9. If I had been there, I would have given my life for her.
10. Upon waking up, he sees that his room is full of flies.

FEDERICO GARCÍA LORCA 1899–1936

THE MOST WIDELY ADMIRED *Spanish poet and dramatist of modern times is without doubt Federico García Lorca, one of a brilliant group of poets who began to gain recognition in the 1920's and who are greatly responsible for what many call Spain's second golden age of literature.*

García Lorca was born and grew up in a village near Granada. In 1920 he went to Madrid to continue his university studies; gifted with unusual creative talents (he was an accomplished pianist and a good painter) and with an engaging, magnetic personality, the young poet soon became the favorite of literary circles. From 1929 to 1930 he spent some time in New York, staying at Columbia University, and later went to Cuba. When he returned, he devoted himself primarily to his dramas, which he considered an extension of his poetry ("one can find pure lyrical poetry in a play as well as in a poem").

Among the plays on which his international fame rests are his rural tragedies: Bodas de sangre *(1933),* Yerma *(1934), and* La casa de Bernarda Alba*, finished shortly before his death. These are intense, powerful, poetic representations of the suffering and frustration of Spanish women, in whom passion and earthly reality are portrayed. In the summer of 1936, García Lorca paid a visit to his home; on August 19, his brutal and inexplicable murder at the hands of a firing squad shocked the entire world.*

García Lorca is best known for his mature poetry, which conveys the popular spirit and traditions of Andalusia—the folklore, the gypsies, the bullfighters, the color, the trembling notes of the guitar, the personal tragedy and death. The lament of the gypsy Andalusian music, the "deep song," charged with the atmosphere of blood and death, is hauntingly captured in Canciones *(1927),* Poema del cante jondo *(*Poem of the Deep Song*), written ten years before it was published in 1931, and above all in the longer poems of* Romancero gitano *(*Book of Gypsy Ballads*), 1928.*

Lorca's dynamic and dramatic world is revealed to us in a personal style, with bold, experimental images and metaphors flashing with dazzling colors. (We have already seen the cult of the poetic image manifested during this period in the greguerías *of Ramón Gómez de la Serna.) In a work like* Poeta en Nueva York*, based on the poet's stay in that city, the surrealistic images become almost obscure as he seeks to communicate the chaos and the anguish which he feels in this antihuman world so different from his own.*

García Lorca creates a new reality that encompasses both the world of the senses and the visionary world of his mind expressed in symbols. In the poems that follow, selected from Canciones *and* Poema del cante jondo, *you will find some of these symbols, particularly those for death, a theme which is repeated again and again in his poetry and his dramatic works. "The vision of life and man that gleams and shines forth in Lorca's work is founded on death. Lorca understands, feels life through death," wrote the late poet and critic, Pedro Salinas.*

Sometimes, behind the apparent simplicity, the visual impression of the images and symbols may seem elusive or unreal, but you will still feel the emotion and pathos of the poems, as well as enjoying their musicality.

I. *Memento* [1]

Note that the first verse serves as a refrain; in other poems the ending repeats the beginning. This obsessive reiteration is a dominant note of the Andalusian "deep song."

Cuando yo me muera,
enterradme [2] con mi guitarra
bajo la arena.[3]
Cuando yo me muera
entre los naranjos 5
y la hierbabuena.[4]
Cuando yo me muera,
enterradme, si queréis,
en una veleta.[5]
¡Cuando yo me muera! 10

II. *El lagarto* [6] *está llorando*

This early poem is one of Lorca's "canciones para niños," graceful in its apparent simplicity.

El lagarto está llorando.
La lagarta está llorando.
El lagarto y la lagarta
con delantalitos [7] blancos.
Han perdido sin querer 5
su anillo de desposados.[8]
¡Ay, su anillito de plomo,[9]
ay, su anillito plomado!
Un cielo grande y sin gente
monta [10] en su globo [11] a los pájaros. 10

[1] **Memento** reminder. *Specifically, one of two prayers in the canon of the Roman Mass, one for the living and one for the dead.*
[2] **enterrar** to bury.
[3] **arena** sand.
[4] **hierbabuena** mint.
[5] **veleta** weather vane.
[6] **lagarto** lizard.
[7] **delantalito** *diminutive of* **delantal** apron.
[8] **anillo de desposados** wedding ring.
[9] **plomo** lead.
[10] **montar** *here,* to carry.
[11] **globo** balloon.

El sol, capitán redondo,
lleva un chaleco de raso.[12]
¡Miradlos qué viejos son!
¡Qué viejos son los lagartos!
15 ¡Ay cómo lloran y lloran,
¡ay! ¡ay cómo están llorando!

III. *Canción de jinete* [13]

This very popular poem is charged with mystery and drama.

Córdoba
Lejana y sola.

Jaca [14] negra, luna grande,
y aceitunas [15] en mi alforja.[16]
5 Aunque sepa los caminos
yo nunca llegaré a Córdoba.

Por el llano,[17] por el viento,
Jaca negra, luna roja.
La muerte me está mirando
10 desde las torres de Córdoba.

¡Ay qué camino tan largo!
¡Ay mi jaca valerosa!
¡Ay que la muerte me espera,
antes de llegar a Córdoba!

15 Córdoba.
Lejana y sola.

IV. *Sorpresa*

Poetry and music blend harmoniously in this poem of tragic intensity.

[12] chaleco de raso satin waistcoat.
[13] jinete horseman, rider.
[14] jaca pony.
[15] aceituna olive.
[16] alforja saddlebag.
[17] llano plain.

Muerto se quedó en la calle
con un puñal [18] en el pecho.
No lo conocía nadie.
¡Cómo temblaba el farol! [19]
Madre. 5
¡Cómo temblaba el farolito
de la calle!
Era madrugada.[20] Nadie
pudo asomarse [21] a sus ojos
abiertos al duro aire. 10
Que muerto se quedó en la calle
con un puñal en el pecho
y no lo conocía nadie.

v. *Malagueña* [22]

Into the tavern with its atmosphere of tragic foreboding, Death enters the swinging doors just like one of the regular patrons.

La muerte
entra y sale
de la taberna.

Pasan caballos negros
y gente siniestra 5
por los hondos [23] caminos
de la guitarra.

Y hay un olor a sal [24]
y a sangre de hembra [25]
en los nardos [26] febriles 10
de la marina.

[18] puñal dagger.
[19] farol *The street lamp (or its variants) is often found in the poems as a witness to tragedy.*
[20] madrugada dawn
[21] asomarse to look into.
[22] Malagueña *A popular tune, somewhat like the fandango, characteristic of the province of Málaga.*
[23] hondo deep.
[24] sal salt.
[25] hembra woman.
[26] nardo (de la marina) sea lily (*spike with lilylike petals, very fragrant*).

La muerte entra y sale
y sale y entra
la muerte
15 de la taberna.

VI. *La Lola*

Love, and not death, figures in these seven-syllable verses with assonance in o.

Bajo el naranjo, lava
pañales de algodón.[27]
Tiene verdes los ojos
y violeta la voz.
5 ¡Ay, amor,
bajo el naranjo en flor!

El agua de la acequia [28]
iba llena de sol;
en el olivarito [29]
10 cantaba un gorrión.
¡Ay, amor,
bajo el naranjo en flor!

Luego, cuando la Lola
gaste [30] todo el jabón,
15 vendrán los torerillos.[31]
¡Ay, amor,
bajo el naranjo en flor!

VII. *Clamor* [32]

You will note in the beginning verses of this poem a "correspondence" or synthesis of color and sound: the bronze of the bells

[27] pañales de algodón (infant's) cotton clothes.
[28] acequia irrigation ditch; watercourse.
[29] olivarito *diminutive of* olivar olive grove.
[30] gastar to use up.
[31] torerillo (torero) young bullfighter.
[32] clamor knell, toll.

transfers its color tonality to the towers and to the wind, which pick up their sound. Death appears again in this poem, personified as a bride.

En las torres
amarillas
doblan [33] las campanas.
Sobre los vientos
amarillos 5
se abren las campanadas.[34]

Por un camino va
la muerte, coronada
de azahares marchitos.[35]
Canta y canta 10
una canción
en su vihuela [36] blanca,
y canta y canta y canta.

En las torres amarillas
cesan las campanas. 15
El viento con el polvo
hace proras [37] de plata.

VIII. *Cueva* [38]

Cries of despair come forth from the darkness of the cave, perennial habitat of the gypsy. The poem could be called a study in color.

De la cueva salen
largos sollozos.
(Lo cárdeno [39]
sobre lo rojo.)

El gitano [40] evoca 5
países remotos.

[33] doblar to toll.
[34] campanada ringing of a bell.
[35] azahares marchitos withered orange blossoms.
[36] vihuela guitar.
[37] prora *poetic for* proa prow.
[38] cueva cave.
[39] cárdeno purple.
[40] gitano gypsy.

(Torres altas y hombres
misteriosos.)

En la voz entrecortada [41]
10 van sus ojos.
(Lo negro
sobre lo rojo.)

Y la cueva encalada [42]
tiembla en el oro.
15 (Lo blanco
sobre lo rojo.)

IX. *Canción de jinete*

The sensation of foreboding and tragedy is again evoked by the color black, as well as by the numerous metaphors.

En la luna negra
de los bandoleros,[43]
cantan las espuelas.[44]

Caballito negro.
5 ¿Dónde llevas tu jinete muerto?

. . . Las duras espuelas
del bandido inmóvil
que perdió las riendas.[45]

Caballito frío.
10 ¡Qué perfume de flor de cuchillo!

En la luna negra,
sangraba [46] el costado [47]
de Sierra Morena.

Caballito negro,
15 ¿Dónde llevas tu jinete muerto?

[41] entrecortado broken.
[42] encalar to whitewash.
[43] bandolero highwayman.
[44] espuela spur.
[45] rienda rein.
[46] sangrar to bleed.
[47] costado (*mountain*) side.

La noche espolea [48]
sus negros ijares [49]
clavándose [50] estrellas.

Caballito frío.
¡Qué perfume de flor de cuchillo! 20

En la luna negra,
¡un grito! y el cuerno [51]
largo de la hoguera.[52]

Caballito negro.
¿Dónde llevas tu jinete muerto? 25

x. *Arbolé, arbolé* [53]

In one of Lorca's most artistically elaborated ballads, the girl receives three invitations from young men who incarnate the soul of the three great Andalusian cities: Córdoba, Sevilla, and Granada. The suitor who wins her, however, is the wind.

Arbolé, arbolé,
seco y verde.

La niña del bello rostro
está cogiendo aceituna.
El viento, galán [54] de torres, 5
la prende [55] por la cintura.
Pasaron cuatro jinetes
sobre jacas andaluzas [56]
con trajes de azul y verde,
con largas capas oscuras. 10
"Vente [57] a Córdoba, muchacha."
La niña no los escucha.
Pasaron tres torerillos

[48] espolear to spur. *Night is transformed into a horseman.*
[49] ijar flank.
[50] clavándose piercing with.
[51] cuerno horn.
[52] hoguera bonfire.
[53] arbolé = árbol.
[54] galán suitor.
[55] prender to grasp.
[56] andaluz Andalusian.
[57] vente (venir) *Do not translate the reflexive pronoun.*

delgaditos [58] de cintura,
15 con trajes color naranja
y espadas de plata antigua.
"Vente a Sevilla, muchacha."
La niña no los escucha.
Cuando la tarde se puso
20 morada,[59] con luz difusa,
pasó un joven que llevaba
rosas y mirtos [60] de luna.
"Vente a Granada, muchacha."
Y la niña del bello rostro
25 sigue cogiendo aceituna,
con el brazo gris del viento
ceñido por [61] la cintura.

Arbolé, arbolé
Seco y verde.

EXERCISES *Poems I–VI*

I. *Cuestionario* (*the Roman numerals refer to the poems*).

1. ¿Quiere el poeta tocar la guitarra después de su muerte? (I)
2. ¿Dónde quiere ser enterrado? (I)
3. ¿Por qué están llorando los lagartos? (II)
4. ¿Qué imagen se emplea para describir el sol? (II)
5. ¿Por qué es roja la luna? (III)
6. ¿Llegó el jinete a Córdoba? (III)
7. ¿Le parece a usted fatalista el poema? (III)
8. ¿Quién se quedó muerto en la calle? (IV)
9. ¿Cómo murió? (IV)
10. ¿Por qué temblaba el farolito? (IV)
11. ¿Qué pasa por los hondos caminos? (V)
12. ¿Viene la muerte por el tabernero? (V)
13. ¿Dónde está la Lola? ¿Qué hace? (VI)
14. ¿Quiénes vendrán a verla? (VI)
15. ¿Simboliza la muerte el cantar del gorrión? (VI)

[58] delgadito (delgado) slender.
[59] morada purple.
[60] mirto myrtle.
[61] ceñido por encircling.

II. A. *Substitute the pairs in parentheses for the verbs in the model below. Use the command in the singular and plural, affirmative and negative.*

Cuando yo me muera, enterradme . . . (*llegar-pagar; irse-escribir; volver-decir; acostarse-cantar*)

B. *Substitute the pairs in parentheses for the subject and verb in the model below.*

El lagarto está llorando. (*Yo-comer; niños-jugar; nosotros-sufrir; tú-decir*)

Repeat, substituting seguir *for* estar.

C. *Substitute the nouns in parentheses for* camino *in the model below.*

¡Qué camino tan largo! (*calles, ríos, sala, sendas*)

III. *Translate the following sentences into Spanish.*

1. When death comes, I will play my guitar.
2. When death enters the tavern, the men continue drinking.
3. Her hair is black.
4. What a red moon!
5. Although I know the way [road], I'll never get to Córdoba.
6. No one knew that he was in the street.
7. She likes to wash the clothes before eating.
8. The young people laugh and the old cry.

EXERCISES *Poems VII–X*

I. *Cuestionario.*

1. ¿De qué color son las torres y los vientos? (VII)
2. ¿Por qué están doblando las campanas? (VII)
3. ¿Qué hace la muerte? (VII)
4. ¿Qué sale de la cueva? (VIII)
5. ¿Qué hace el gitano? (VIII)
6. ¿Qué color predomina en el poema? ¿Por qué? (VIII)
7. ¿De qué color es la luna? ¿Por qué? (IX)
8. ¿Dónde está el jinete muerto? (IX)
9. ¿Hay otro jinete en el poema? (IX)
10. ¿Qué hace la niña? (X)

11. ¿Quiénes pasan? (x)
12. ¿A cuál de los galanes prefiere la niña? (x)

II. *Complete the sentences below by selecting an appropriate word from the following list.*

aceituna	iglesia	rostro
torre	cintura	traje
camino	caballito	país

1. En las __________ doblan las campanas.
2. Por un __________ va la muerte.
3. El gitano evoca __________ remotos.
4. __________, ¿dónde llevas tu jinete muerto?
5. La niña del bello __________ no va a Córdoba.
6. El viento la prende por la __________.
7. Los torerillos llevan __________ color naranja.
8. La niña sigue cogiendo __________.

III. *Express, in Spanish, the opposite of the italicized words in the sentences below.*

1. Sobre los vientos *se abren* las campanadas.
2. Por un camino va *la muerte*.
3. En las torres *cesan* las campanas.
4. Torres *altas* y hombres misteriosos.
5. En *la luna negra* cantan las espuelas.
6. El bandido *perdió* las riendas.
7. En la luna negra, ¡un *grito!*
8. Pasaron los jinetes con *largas* capas *oscuras*.
9. Pasaron tres torerillos *delgaditos* de cintura.
10. La niña *sigue cogiendo* aceituna.

IV. *Translate the following sentences into Spanish.*

1. Do you see death going along that road?
2. The gypsies are coming out of the cave.
3. They still live in Spain and in other countries.
4. Have you ever seen a black moon?
5. The little horse took me home.
6. If she were not pretty, they wouldn't speak to her.
7. She blushed [became red] when a youth brought her a rose.
8. Come to Córdoba, they said, but she continued to pick the flowers.

CAMILO JOSÉ CELA 1916–

IN 1942, post-Civil War Spanish letters received a badly needed shot in the arm with the appearance of a "tremendous" novel, La familia de Pascual Duarte, by a young writer named Camilo José Cela, born in Galicia in 1916. Today he is generally acknowledged to be Spain's foremost novelist. The harshly realistic story of Pascual Duarte, narrated in the first person, established the controversial reputation of its author as well as the vogue of the tremendista novel: realism characterized by physical and spiritual violence, directness of style, and such common themes as anguish, despair, pessimism, loneliness.

Since then, Cela has written excellent books of short stories, lyrical accounts of his many travels throughout Spain, and other novels, the most prominent of which is La colmena (The Hive), 1951. Imitating a technique used by others (e.g., John Dos Passos), Cela presents his bitter "slice of life" in a series of short but powerfully precise vignettes, or candid-camera shots. In spite of the fact that both of these novels were originally censored in Spain and created enemies as well as admirers for him, Cela was elected to the Spanish Academy of Letters in 1957.

A kind of enfant terrible of contemporary Spanish literature, Cela is aggressive, egotistic, experimental, independent. His individualism and the boldness and vigor of his style remind us very much of Pío Baroja, whom he greatly admired. "De Baroja, de quien tanto aprendí, he recibido la última y más saludable lección: la de la humildad humilde, que es la más noble y difícil . . ." Cela's language and characters are not restricted by convention; indeed, he does not hesitate to bend reality to caricature and the grotesque. His humor is ironic. His tone is often mocking, sometimes bitter, but not without compassion. No one work can capture the whole of this brilliant writer, but a part of him is evident in the two short stories that follow.

60 Yo entré en una farmacia a comprar un tubo de pastillas contra [31] el dolor de cabeza.

—¿Tiene usted jaqueca,[32] mi buen amigo?

—Regular . . .

—Luego yo le dejo, amigo, que no quiero serle molesto.

65 Cuando don Elías Neftalí Sánchez, en realidad, no tan sólo mecanógrafo, sino jefe de Negociado de tercera del ministerio de Finanzas de no recuerdo cuál república, me abandonó a mis fuerzas,[33] un mundo de esperanzas se abrió ante mis ojos.

Sus últimas palabras, ya mano sobre mano,[34] fueron dignas del 70 bronce.[35]

—¿Ve usted todos mis títulos? Pues todos los desprecio. Como siempre al despedirme: Elías Neftalí Sánchez, escritor y mecanógrafo para servirle. Es mi mayor timbre [36] de gloria.

Cuando volví a mi casa aquella noche, abatido y desazonado,[37] 75 me tiré sobre una butaca y llamé a la criada.

—Si viene don Elías Neftalí Sánchez le dice [38] que me he muerto. ¿Entendido?

—Sí, señorito.

—A ver: repita.

80 —Si viene don Elías Neftalí Sánchez le digo que se ha muerto usted.

—Eso. No lo olvide, por lo que más quiera.[39]

Pasaron algunos días, y una mañana vi en el periódico la siguiente esquela: [40]

85 DON ELÍAS NEFTALÍ SÁNCHEZ

Ha muerto

Descanse en paz.

Así lo quiera el Señor. Descanse en paz don Elías ahora que los que le sobrevivimos [41] tan en paz hemos quedado.[42]

[31] tubo de pastillas contra box of tablets for.
[32] jaqueca migraine headache.
[33] a mis fuerzas on my own, alone.
[34] ya mano sobre mano as we were parting.
[35] dignas del bronce worthy of being preserved.
[36] timbre seal.
[37] desazonado cross, ill-humored.
[38] le dice you are to tell him.
[39] por lo que más quiera on your life.
[40] esquela obituary notice.
[41] sobrevivir to survive.
[42] tan en paz hemos quedado are now so peaceful.

La vida es una paradoja, como decía don Elías. Una inexplicable paradoja. 90

EXERCISES *Don Elías Neftalí Sánchez, mecanógrafo*

I. *Cuestionario*

1. ¿Dónde está el narrador al principio de esta historia? ¿Qué hace?
2. ¿A dónde van los dos hombres?
3. ¿Qué tipo de hombre es Don Elías?
4. ¿Cuáles son algunas de sus ideas sobre la salud?
5. ¿Cómo logra el narrador librarse de Don Elías?
6. Cuando el narrador vuelve a su casa, ¿qué orden le da a su criada?
7. ¿Por qué no vuelve Don Elías otra vez?
8. ¿Cuál es el tono de esta historia? ¿Es trágica la muerte de Don Elías? ¿Por qué?

II. *In the following sentences, give the appropriate form of the verbs in parentheses.*

1. Yo (*levantarse*) y (*coger*) al señor Sánchez de un brazo.
2. En las palabras de la criada (*adivinarse*) un desprecio absoluto hacia la profesión.
3. Yo (*estar*) en la cama copiando a máquina una novela.
4. —El señor Elías, señorito.
   —Que (*pasar*).
5. Cuando Don Elías se despidió de mí, un mundo de esperanzas (*abrirse*) ante mis ojos.
6. —Luego, yo le (*dejar*), amigo, que no quiero serle molesto.
7. Don Elías siguió (*hablar*) de varias cosas.
8. Cuando volví a mi casa aquella noche, (*tirarse*) sobre una butaca.

III. *Translate the following sentences into Spanish.*

1. When someone has died, one says: May he rest in peace.
2. He took leave of me, and I continued typing my novel.
3. Don Elías spoke in favor of I don't know what kind [*clase*] of progress.
4. After having a drink, we strolled around the town.
5. He is not a writer but a typist.

6. Have him come in.
7. He went in a drugstore to buy something for his headache.
8. If that man comes again, tell him I have died.

Claudito, el espantapájaros[43]

(*novela*)

NOTA

Por un error puramente casual, esta novela apareció anunciada, en su primera edición, de una manera distinta a[44] la verdadera. Donde se leía: "Don Abundio y el espantapájaros" debiera haberse leído,[45] como hoy se lee: "Claudito, el espantapájaros," que es el
5 título originario y primitivo de esta dulce historia de Navidad,[46] concebida para ser comentada al amor de la lumbre.[47]

Don Abundio es un tío de nuestro personaje; pero esta razón no puede considerarse como suficiente para llevar su nombre a la cabecera[48] de este trabajito. Hombre desleal,[49] de pocos amigos y que
10 no nos inspira ninguna confianza, no queremos contribuir a darle aire,[50] y, a pesar del anuncio, retiramos su nombre del título. Claudito, en cambio, ya es otro cantar.[51] Claudito es un tonto crecido . . .[52]

CAPÍTULO I

Era la Nochebuena.[53] Sobre el paisaje nevado,[54] Claudito, que era
15 un tonto crecido y con cara de mirlo,[55] se dedicaba a pasear, para arriba y para abajo,[56] tocando en su ocarina los tristes, los amargos valses de las fiestas de familia,[57] esas fiestas presididas[58] siempre

[43] espantapájaros scarecrow.
[44] distinta a different from.
[45] debiera haberse leído it should have read.
[46] Navidad Christmas.
[47] al amor de la lumbre by the fireside.
[48] cabecera beginning, head (*cf.* cabeza).
[49] desleal disloyal, traitorous.
[50] aire *here,* importance, prestige.
[51] otro cantar another story, horse of a different color.
[52] crecido full-fledged.
[53] Nochebuena Christmas Eve.
[54] nevado snow-covered.
[55] mirlo blackbird.
[56] para arriba y para abajo up and down.
[57] fiestas de familia family get-togethers.
[58] presididas governed, overshadowed.

por el pertinaz recuerdo de aquel hijo muerto en la flor de su juventud.

Claudito, calado hasta los huesos [59] y con una gota color marfil colgada de la nariz, soplaba [60] en su ocarina el *Good night* o el *Vals de las velas,* mientras sus manos, rojas de sabañones [61] malvolaban [62] sobre los agujeritos [63] por donde salían las notas y el viento. 20

Detrás de los visillos [64] Clementina, su viejo y platónico amor, lloraba furtivas lágrimas de compasión. 25

CAPÍTULO II

Don Abundio Hogdson (est historia no es española, sino neworleansiana), el padre de Clementina y tío carnal [65] de Claudito, sorprendió el amoroso espiar [66] de la hija.

—Pero Clementina, ¡a tus años!

—¡Papá! 30

—Sí hija, yo soy tu papá, aunque tu abuelito siempre decía que no había más nietos seguros que los hijos de las hijas. ¿Por qué me das estos disgustos? Yo creo, hija mía, que no me merezco este despiadado [67] trato. ¿Por qué no dejas de mirar ya para [68] Claudito?

Clementina suspiró, mientras arreciaba [69] la nevada y el soplar del primo tonto. 35

—Es que el corazón . . .

—Sí, Clementina; ya lo sé. Pero dominando los locos raptos [70] del corazón deben prevalecer siempre los convenientes raciocinios [71] del cerebro. 40

Clementina estaba ahogada por el llanto.

—Ya me hago cargo,[72] papá; pero . . .

—Pero, ¿qué, hijita? ¿Qué duda puede aún caber [73] en esta cabecita loca?

Don Abundio Hogdson, propietario del restorán "La digestiva Lubina Cuáquera", [74] cambió el tono de su voz: 45

[59] calado hasta los huesos soaked to the skin.
[60] soplar to blow.
[61] sabañones chilblain.
[62] malvolaban moved clumsily.
[63] agujeritos little holes (*of the ocarina*).
[64] visillos curtains.
[65] tío carnal "blood" uncle.
[66] espiar to spy; *with* el spying.
[67] despiadado cruel.
[68] mirar para concern yourself with.
[69] arreciaba grew stronger.
[70] rapto rapture, ecstasy.
[71] convenientes raciocinios beneficial reasoning.
[72] hacerse cargo to realize; to take into consideration.
[73] caber *here,* to remain; to be.
[74] "La digestiva Lubina Cuáquera" "The Quaker Haddock Café."

—Y además, hija, ¿tú no sabes que los hijos de primos —Clementina, con las mejillas arreboladas,[75] bajó la vista— tú no sabes que los hijos de primos, aunque ninguno de los dos sea tonto,
50 suelen [76] salir algo tontos?

CAPÍTULO III

"Mi muy querido e imposible corazón:

"Renuncio a ser tuya jamás.[77] Sé bien que esta decisión me puede acarrear [78] la muerte, pero no me importa: a todo estoy decidida. Debo sacrificarme y lo hago. No me pidas que te explique nada:
55 no podría hacerlo. Reza por mí. Adiós vida. Adiós, buenas tardes. Que la vida te colme [79] de dichas. Que seas muy feliz sin mí. Si no soy tuya, te juro que tampoco seré de nadie. Recuerda siempre a tu desgraciada,

Clementina"

60 —¡Qué tía [80] —exclamó Claudito—. ¡Qué cartas escribe! ¡Y parecía tonta!

CAPÍTULO IV

Por el campo cubierto por el blanco sudario [81] de la nieve, etc., Claudito echó a andar en compañía de su ocarina.

Llegado que hubo [82] a una pradera . . . Vamos,[83] queremos
65 decir: en cuanto llegó a una pradera se puso en pie,[84] como una cigüeña,[85] y se dijo: "Los pajarillos del cielo vendrán a reconfortar mis flacos ánimos." [86]

Pero los pajarillos del cielo, al verlo, echaron a volar despavoridos.

70 —¡Un espantapájaros mecánico! —se decían unos a otros los pajarillos de New Orleáns—. ¡Un espantapájaros filarmónico!

CAPÍTULO V

Claudito, el Espantapájaros, fue durante unos días el héroe local de su pueblo.

[75] mejillas arreboladas red cheeks, blushing.
[76] suelen (*from* soler) are wont to, usually.
[77] jamás forever.
[78] acarrear to cause.
[79] Que . . . colme (*subjunctive*) May . . . fill.
[80] tía woman.
[81] sudario shroud.
[82] Llegado que hubo Arrived as he had (*in mock imitation of an older style, such as that of the pastoral novel and love poetry*).
[83] Vamos Well; all right.
[84] ponerse en pie to stand up (*here, on one foot*).
[85] cigüeña stork.
[86] flacos ánimos weak spirits.

—Pero, ¡hombre, Claudito! ¿Cómo se te ocurrió [87] ir a tocarles el *Good night* a los gorriones? 75

—Pues, ¡ya ves! . . .

—Pero, ¿y no tenías frío?

—Sí, algo . . .

—¡Claro, hombre, claro! Oye: nos han dicho que te cogieron tieso [88] sobre una pata, como las grullas.[89] ¿Es verdad eso? 80

—Pues sí . . .

—¿Y por qué te pusiste sobre una pata?

—Pues, ¡ya ves! . . .

Clementina, en el fondo de su corazón, estaba orgullosa del proceder [90] de Claudito. 85

Fuera, la nieve caía mansamente.

EXERCISES *Claudito, el espantapájaros*

I. *Cuestionario.*

1. ¿Por qué retiró el autor el nombre de Don Abundio del título?
2. ¿Dónde tiene lugar esta historia?
3. ¿Qué clase de música tocaba Claudito en su ocarina?
4. ¿Qué disgustos le da Clementina a su padre?
5. ¿Por qué decidió Clementina escribir la carta?
6. ¿Qué hizo Claudito al llegar a una pradera?
7. ¿Por qué no vinieron los pajarillos del cielo?
8. ¿Qué impresión le dan a Vd. expresiones como éstas: "un espantapájaros filarmónico," "te cogieron tieso sobre una pata," "esta dulce historia de Navidad"? ¿Humor? ¿Ironía? ¿Caricatura?

II. *Give the diminutives of the following nouns, and use them in simple sentences.*

cabeza	hija
trabajo	pájaro
abuelo	agujero

III. *Read the following statements aloud, and indicate whether they are true or false.*

[87] ¿Cómo se te ocurrió? How did you get the idea?
[88] te cogieron tieso they found you stiff.
[89] grullas cranes.
[90] proceder the action.

1. Según Don Abundio, los hijos de primos suelen salir algo tontos.
2. Clementina jura que si no es de Claudito, tampoco será de nadie.
3. Claudito se dedicaba a tocar valses alegres para Clementina.
4. Don Abundio es un hombre leal, y que nos inspira confianza.
5. Claudito toca la ocarina en la orquesta filarmónica de New Orleáns.
6. Clementina nunca dejó de querer a Claudito.

IV. *Note and review the following.*

A. *All the verbs in* Capítulo I *are in the imperfect tense, and all but one in* Capítulo IV *are in the preterite. What is the difference in usage?*

B. *Idioms:*

echar a + *infinitive*	dejar de + *infinitive*
querer decir	en cambio
tener frío	a pesar de

C. *Translate the following sentences into Spanish.*

1. What a fool! He didn't stop playing his ocarina in spite of the cold night.
2. Clementina, may life be happy for you.
3. On the other hand, the little birds started to fly when they saw Claudito.
4. Do you mean that you were not cold in the meadow?
5. Did you like birds when you were young?
6. My father's father is my grandfather, and I am his grandson.
7. This story is not Spanish but American.
8. Outside, the snow fell quietly.

ANA MARÍA MATUTE 1926–

TOGETHER WITH CAMILO JOSÉ CELA *and other young men, who have gradually brought the novel back to a place of literary prominence from the retrogression of the 1930's, a relatively large number of women writers, such as Ana María Matute, Carmen Laforet, Elena Quiroga, Dolores Medio, Carmen Martín Gaite, have also been making noteworthy contributions. This is significant in view of the fact that there have been very few women novelists in the history of Spanish literature.*

Ana María Matute is a native of Barcelona and is married to the novelist and poet R. E. de Goicoechea. She first came into prominence at the age of twenty-two with her novel Los Abel *(1948), which deals with one of her recurrent themes: the ambivalence of love and hate in man's relationship to man. The author of five long novels, two short ones, and four books of stories, she has been awarded such prizes as the Premio Planeta, the Premio Café Gijón (for* Fiesta al noroeste, *1953), and the Premio Nadal (*Primera memoria, *1960).*

Ana María Matute writes with a vigorous, bold, and poetic style. A certain negative and deterministic attitude seems to run through her work, both in the portrayal of man's loneliness and in the numerous stories she has written about children. The tragic atmosphere of many of these stories is often mitigated by the sensitive understanding of child psychology and the poetic treatment of the theme, which we find in the story that follows, El árbol de oro *(from her latest collection,* Historias de la Artámila, *1961).*

El árbol de oro

Asistí durante un otoño a la escuela de la señorita Leocadia, en la aldea, porque mi salud no andaba bien y el abuelo retrasó [1] mi vuelta a la ciudad. Como era el tiempo frío y estaban los suelos embarrados [2] y no se veía rastro [3] de muchachos, me aburría dentro 5 de la casa, y pedí al abuelo asistir a la escuela. El abuelo consintió, y acudí [4] a aquella casita alargada y blanca de cal,[5] con el tejado pajizo y requemado [6] por el sol y las nieves, a las afueras del pueblo.

La señorita Leocadia era alta y gruesa,[7] tenía el carácter más bien áspero y grandes juanetes [8] en los pies, que la obligaban a andar 10 como quien arrastra cadenas.[9] Las clases en la escuela, con la lluvia rebotando [10] en el tejado y en los cristales, con las moscas pegajosas [11] de la tormenta persiguiéndose alrededor de la bombilla, [12] tenían su atractivo. Recuerdo especialmente a un muchacho de unos diez años, hijo de un aparcero [13] muy pobre, llamado Ivo. Era un muchacho 15 delgado, de ojos azules, que bizqueaba [14] ligeramente al hablar. Todos los muchachos y muchachas de la escuela admiraban y envidiaban un poco a Ivo, por el don que poseía de atraer la atención sobre sí, en todo momento. No es que fuera ni inteligente ni gracioso, y, sin embargo, había algo en él, en su voz quizás, en las cosas que 20 contaba, que conseguía cautivar [15] a quien le escuchase. También la señorita Leocadia se dejaba prender de aquella red [16] de plata que Ivo tendía a cuantos atendían [17] sus enrevesadas [18] conversaciones, y—yo creo que muchas veces contra su voluntad—la señorita Leocadia le confiaba a Ivo tareas deseadas por todos, o distinciones que 25 merecían alumnos más estudiosos y aplicados.

Quizá lo que más se envidiaba de Ivo era la posesión de la codiciada [19] llave de *la torrecita.* Ésta era, en efecto, una pequeña torre situada en un ángulo de la escuela, en cuyo interior se guardaban los libros de lectura. Allí entraba Ivo a buscarlos, y allí volvía a dejarlos,

[1] retrasar to put off.
[2] embarrados muddy.
[3] rastro trace.
[4] acudir to come.
[5] cal lime.
[6] tejado pajizo y requemado straw roof parched (by).
[7] gruesa heavy set.
[8] juanete bunion.
[9] cadena chain.
[10] rebotar to bounce.
[11] pegajosas sticky.
[12] bombilla light bulb.
[13] aparcero sharecropper.
[14] bizquear to squint; to cross one's eyes.
[15] cautivar to captivate; to win over.
[16] prender de aquella red to be caught in that net.
[17] atender to pay attention to.
[18] enrevesadas complex, intricate.
[19] codiciar to covet.

al terminar la clase. La señorita Leocadia se lo encomendó [20] a él, nadie sabía en realidad por qué. 30

Ivo estaba muy orgulloso de esta distinción, y por nada del mundo la hubiera cedido. Un día, Mateo Heredia, el más aplicado y estudioso de la escuela, pidió encargarse de [21] la tarea—a todos nos fascinaba el misterioso interior de la torrecita, donde no entramos nunca—, y la señorita Leocadia pareció acceder. Pero Ivo se levantó, y acercándose a la maestra empezó a hablarle en su voz baja, bizqueando los ojos y moviendo mucho las manos, como tenía por costumbre.[22] La maestra dudó un poco, y al fin dijo: 35

—Quede todo como estaba. Que siga encargándose Ivo de la torrecita. 40

A la salida de la escuela le pregunté:

—¿Qué le has dicho a la maestra?

Ivo me miró de través [23] y vi relampaguear [24] sus ojos azules.

—Le hablé del árbol de oro. 45

Sentí una gran curiosidad.

—¿Qué árbol?

Hacía frío y el camino estaba húmedo, con grandes charcos [25] que brillaban al sol pálido de la tarde. Ivo empezó a chapotear [26] en ellos, sonriendo con misterio. 50

—Si no se lo cuentas a nadie . . .

—Te lo juro, que a nadie se lo diré.

Entonces Ivo me explicó:

—Veo un árbol de oro. Un árbol completamente de oro: ramas, tronco, hojas . . . ¿sabes? Las hojas no se caen nunca. En verano, en invierno, siempre. Resplandece mucho; tanto, que tengo que cerrar los ojos para que no me duelan. 55

—¡Qué embustero [27] eres! —dije, aunque con algo de zozobra.[28] Ivo me miró con desprecio.

—No te [29] lo creas —contestó—. Me es completamente igual que te lo creas o no . . . ¡Nadie entrará nunca en la torrecita, y a nadie dejaré ver mi árbol de oro! ¡Es mío! La señorita Leocadia lo sabe, y no se atreve a darle la llave a Mateo Heredia, ni a nadie . . . ¡Mientras yo viva, nadie podrá entar allí y ver mi árbol! 60

[20] encomendar to entrust.
[21] encargarse de to take charge of; to be entrusted with.
[22] como tenía por costumbre as was his custom.
[23] de través sidewise.
[24] relampaguear to flash.
[25] charco puddle.
[26] chapotear to splash.
[27] embustero liar.
[28] zozobra anxiety.
[29] te *Omit in translation.*

65 Lo dijo de tal forma que no pude evitar preguntarle:

—¿Y cómo lo ves . . . ?

—Ah, no es fácil —dijo, con aire misterioso—. Cualquiera no podría verlo. Yo sé la rendija [30] exacta.

—¿Rendija? . . .

70 —Sí, una rendija de la pared. Una que hay corriendo el cajón [31] de la derecha: me agacho [32] y me paso horas y horas . . . ¡Cómo brilla el árbol! ¡Cómo brilla! Fíjate [33] que si algún pájaro se le pone encima también se vuelve de oro. Eso me digo yo: si me subiera a una rama, ¿me volvería acaso de oro también?

75 No supe qué decirle, pero, desde aquel momento, mi deseo de ver el árbol creció de tal forma que me desasosegaba.[34] Todos los días, al acabar la clase de lectura, Ivo se acercaba al cajón de la maestra, sacaba la llave y se dirigía a la torrecita. Cuando volvía, le preguntaba:

80 —¿Lo has visto?

—Sí —me contestaba. Y, a veces, explicaba alguna novedad:

—Le han salido unas flores raras. Mira: así de grandes,[35] como mi mano lo menos, y con los pétalos alargados. Me parece que esa flor es parecida al *arzadú*.

85 —¡La flor del frío! —decía yo, con asombro—. ¡Pero el *arzadú* es encarnado! [36]

—Muy bien —asentía él, con gesto de paciencia—. Pero en mi árbol es oro puro.

—Además, el *arzadú* crece al borde de los caminos . . . y no es

90 un árbol.

No se podía discutir con él. Siempre tenía razón, o por lo menos lo parecía.

Ocurrió entonces algo que secretamente yo deseaba; me avergonzaba [37] sentirlo, pero así era: Ivo enfermó, y la señorita Leocadia

95 encargó a otro la llave de la torrecita. Primeramente, la disfrutó [38] Mateo Heredia. Yo espié su regreso, el primer día, y le dije:

—¿Has visto un árbol de oro?

—¿Qué andas graznando? [39] —me contestó de malos modos,

[30] rendija crack, opening.
[31] corriendo el cajón *here,* behind the desk.
[32] agacharse to crouch; to squat.
[33] fijarse to imagine.
[34] desasosegar to disturb; to torment.
[35] así de grandes this big.
[36] encarnado red.
[37] avergonzarse to be ashamed; to be embarrassed.
[38] disfrutar to enjoy.
[39] ¿Qué andas graznando? What are you talking about?

porque no era simpático, y menos conmigo. Quise dárselo a entender,[40] pero no me hizo caso. Unos días después, me dijo: 100

—Si me das algo a cambio, te dejo un ratito [41] la llave y vas durante el recreo. Nadie te verá . . .

Vacié mi hucha,[42] y, por fin, conseguí la codiciada llave. Mis manos temblaban de emoción cuando entré en el cuartito de la torre. Allí estaba el cajón. Lo aparté y vi brillar la rendija en la 105 oscuridad. Me agaché y miré.

Cuando la luz dejó de cegarme, mi ojo derecho sólo descubrió una cosa: la seca tierra de la llanura alargándose hacia el cielo. Nada más. Lo mismo que se veía desde las ventanas altas. La tierra desnuda y yerma,[43] y nada más que la tierra. Tuve una gran decepción y la 110 seguridad de que me habían estafado.[44] No sabía cómo ni de qué manera, pero me habían estafado.

Olvidé la llave y el árbol de oro. Antes de que llegaran las nieves regresé a la ciudad.

Dos veranos más tarde volví a las montañas. Un día, pasando por 115 el cementerio—era ya tarde y se anunciaba la noche en el cielo: el sol, como una bola roja, caía a lo lejos, hacia la carrera terrible y sosegada [45] de la llanura—, vi algo extraño. De la tierra grasienta [46] y pedregosa, entre las cruces [47] caídas, nacía un árbol grande y hermoso, con las hojas anchas de oro: encendido y brillante todo 120 él, cegador. Algo me vino a la memoria, como un sueño, y pensé: "Es un árbol de oro." Busqué al pie del árbol, y no tardé en dar con una crucecilla de hierro negro, mohosa [48] por la lluvia. Mientras la enderezaba,[49] leí: IVO MÁRQUEZ, DE DIEZ AÑOS DE EDAD.

Y no daba tristeza alguna, sino, tal vez, una extraña y muy grande 125 alegría.

EXERCISES *El árbol de oro*

I. *Cuestionario.*

1. ¿Dónde tiene lugar la historia? ¿Cuándo?

[40] Quise dárselo a entender I tried to make him understand.
[41] un ratito (*diminutive of* rato) for a little while.
[42] hucha bank.
[43] yerma deserted.
[44] estafar to defraud; to swindle.
[45] sosegada calm.
[46] grasienta greasy.
[47] cruces cruz cross.
[48] mohosa rusty.
[49] enderezar to straighten.

2. ¿Por qué asistió el muchacho a la escuela de la Srta. Leocadia?
3. Describa usted a ésta.
4. ¿Quién es Ivo? ¿Cómo es?
5. ¿Qué don tenía?
6. ¿Por qué le envidiaban los otros muchachos?
7. ¿Qué pidió Mateo Heredia a la maestra? ¿Accede ella?
8. ¿Cómo es el árbol que ve Ivo? ¿Por dónde lo ve?
9. ¿Por qué tuvo la maestra que encargar la llave a otro?
10. ¿Cómo la consiguió el narrador?
11. ¿Qué ve éste por la rendija?
12. ¿Cómo se siente después?
13. ¿Qué ocurre dos años más tarde?
14. ¿Cómo sabe el muchacho que se ha muerto Ivo?
15. ¿Por qué no le da tristeza alguna la muerte de Ivo?

II. *Translate the verbs in parentheses into Spanish.*

1. (*He asked*) al abuelo asistir a la escuela porque (*he was bored*) dentro de la casa.
2. El abuelo (*consented*).
3. (*I remember*) especialmente a Ivo.
4. (*There was*) algo en él que conseguía cautivar a quien le (*listened*).
5. En la torre (*were kept*) los libros de lectura.
6. (*Approaching*) a la maestra empezó a hablarle en voz baja.
7. (*Let him continue*) encargándose de la torre.
8. Cierro los ojos para que no me (*hurt*) [*doler*].
9. Si (*I got up*) a una rama, ¿me volvería de oro también?
10. Algo me (*came*) a la memoria.

III. *Translate the italicized expressions in the sentences below, and then use them in Spanish sentences of your own.*

1. *Quise* dárselo a entender, pero no me *hizo caso*.
2. No tardé en *dar con* una crucecilla de hierro negro.
3. Siempre *tenía razón*, o *por lo menos* lo parecía.
4. A nadie *se lo diré*.
5. *Por nada* del mundo *hubiera cedido* la llave.
6. Cuando la luz *dejó de* cegarme, mi ojo sólo descubrió una cosa.
7. *Lo mismo* que *se veía* desde las ventanas altas.
8. *Hacía tanto frío* en la torrecita que me dolían *los* brazos.

9. Pedí a mi padre *asistir a* la conferencia.
10. Pedí a mi padre que *asistiera a* la conferencia.

IV. *Correct in Spanish the statements which are false.*

1. El cuento tiene lugar en verano.
2. El muchacho vive con su padre.
3. La señorita Leocadia le confiaba a Ivo tareas deseadas por todos.
4. La maestra vive en una torre de marfil.
5. Ivo había robado la llave de la torre.
6. Ivo tenía la costumbre de bisquear los ojos.
7. Ivo es embustero.
8. Los otros alumnos mataron a Ivo bajo un árbol de oro.

V. *Translate the following sentences into Spanish.*

1. Now there is no sadness but great joy.
2. We live in a little house on the outskirts of town.
3. I wouldn't do that for anything in the world.
4. I returned home before the snows came.
5. If I had the key, I would be able to see what he sees.
6. Every day he went to the little room.
7. When I asked him for the key, he refused [use preterite of *querer*, negative] to give it to me.
8. The dry land could be seen in the distance.

PEDRO ESPINOSA BRAVO 1934–

IN ADDITION TO BEING one of the youngest of the contemporary novelists, Espinosa Bravo is also editor of a periodical and director of Radio Miramar in Barcelona, where he was born and still lives. He attended the University of Barcelona, pursuing the course of study in law, like so many others in Spain who eventually decided to devote themselves to a career in writing.

By the time he was seventeen years old, he was beginning to publish short stories in literary journals. Two of his books, Vosotros desde cerca and Todos somos accionistas, received honorable mention for the first Premio "Leopoldo Alas" and the Premio "Libros Plaza," resepctively. La fábrica, part of a trilogy of short novels, was published in 1959.

Well acquainted with modern novelistic techniques and with the work of such American writers as Hemingway, Steinbeck, Faulkner, Dos Passos, and others, Espinosa Bravo has assumed a respectable position among the vanguard novelists of Spain, and his reputation continues to increase steadily throughout the land. From his collection of short stories, El viejo de las naranjas (1960), we have chosen El limpiabotas, a story with a delicate, poetic tinge to its realistic setting, written in neat and expressive sentences.

El limpiabotas [1]

—¿Limpio,[2] señor?

El hombre ha mirado con un poco de curiosidad al limpiabotas.

El limpiabotas no es ni alto, ni bajo, ni joven, ni viejo. Es flaco y rugoso al sol.[3] Lleva una boina [4] sucia y un pitillo [5]—a lo chulo [6]— en la oreja. 5

El hombre se mira ahora los zapatos. Unos zapatos corrientes [7] y negros, algo polvorientos y cansados. Por fin, va hacia el limpiabotas. Y apoya un pie sobre la banqueta.[8]

El limpiabotas se ha dado por aludido.[9] En seguida, esgrime el cepillo [10] en el aire, con una exacta voltereta.[11] Y comienza a tantear 10 el terreno.[12]

—¿Le pongo tinte? [13]

—Bueno . . .

El sol revienta [14] contra la pared que sirve de fondo. Se enrojece en sus ladrillos.[15] Y cae, al fin, suciamente en la acera,[16] cerca del 15 limpiabotas. Es esa hora de la tarde en la que el sol empieza a tener importancia.

El limpiabotas sigue arrodillado frente al cliente.

Le ha mirado de manera furtiva. Y:

—Bonito sol, ¿eh? 20

—Bonito . . .

—Aquí, en esta esquina, siempre da [17] el sol. Es una suerte. Hay mucha luz . . .

—Sí.

El limpiabotas se ha dado cuenta de que molestaba. Y no con- 25 tinúa. Se limita a cepillar con más fuerza y rapidez. Se cala [18] otro poco la boina. Oscura, gastada,[19] irónica. Y aplasta [20] los labios con desprecio.

[1] limpiabotas shoeshine boy or man.
[2] limpio shine.
[3] rugoso al sol wrinkled by the sun.
[4] boina beret.
[5] pitillo cigarette
[6] a lo chulo like a chulo flashy, affected fellow (*in the lower classes of Madrid*).
[7] corriente common, ordinary.
[8] banqueta stool.
[9] se ha dado por aludido saw that he had a customer.
[10] esgrimir el cepillo to wield or brandish the brush.
[11] voltereta circular motion.
[12] tantear el terreno to size up the terrain (*i.e., the shoe*).
[13] tinte polish.
[14] reventar to smash; to burst.
[15] ladrillo brick.
[16] acera sidewalk.
[17] dar *here,* to shine.
[18] calar to pull down.
[19] gastada worn.
[20] aplastar to flatten.

Ha pasado una mujer. Alta y provocativa como el vino. Con-
30 tonea [21] ligeramente. El limpiabotas:

—¡Anda!; [22] ya . . .

(Aquí una retahila [23] de palabras inconfundibles e inescuchables.[24]

—¡Anda, qué mujer!

El hombre parece más alto desde el suelo. No es joven, desde
35 luego.[25] Pero tiene el pelo negro y profundo. Aún sigue sin hablarle, sin inmutarse.[26] Mira hacia lo lejos, hacia el final de la calle, hacia el final de alguna parte, con una seriedad respetable. Quizá, por eso, el limpiabotas ha decidido callar de nuevo. Y continúa sacando brillo [27] a la piel arrugada del zapato.

40 Por cierto, ya ha terminado. Lo mira satisfecho. Con orgullo de artista. Y solicita el otro pie al cliente.

—Estos zapatos . . . Estos zapatos han andado ya mucho . . . ¡Buenos zapatos!, ¿eh? . . .

—Desde luego.

45 —Van a quedar como charol.[28]

—Eso espero.

De repente, el limpiabotas observa fijo el zapato, con un gesto contrariado,[29] firme.

—¿Oiga? . . .

50 El hombre sigue sin hacerle caso. Sigue mirando lejos, indiferente. Tiene los ojos despreocupados [30] y grises y una extraña sonrisa involuntaria.

—Perdone, señor . . . Sus zapatos están manchados.

—¿De veras?

55 —Sí.

El limpiabotas los tiñe afanosamente.[31] Hay una mancha de un rojo pardo [32] cerca de los cordones. Parece sangre. El limpiabotas ha asombrado [33] los ojos con mucha intriga.[34]

—No se va . . . Parece sangre. ¡Es raro que no se vaya! . . .

[21] contonear to strut.
[22] ¡Anda! Wow!
[23] retahila string, stream.
[24] inconfundibles e inescuchables unmistakable and unmentionable.
[25] desde luego evidently.
[26] inmutarse to change (countenance).
[27] sacar brillo a to shine; to get a shine out of.
[28] charol patent leather.
[29] contrariado vexed, upset.
[30] despreocupado disinterested.
[31] los tiñe afanosamente polishes them painstakingly.
[32] rojo pardo reddish brown.
[33] asombrar to shade.
[34] con mucha intriga in amazement.

—¿A ver? 60

—¡Qué extraño! . . .

—Déjeme ver.

El hombre se ha mirado el zapato. Para hacerlo, tiene que levantar cómicamente la rodilla. Al fin, con sorpresa:

—¿Dónde? 65

—Cerca del cordón.

—No veo nada . . . ¡Oiga! ¿me está tomando el pelo? [35]

—Señor, yo . . .

Ahora, el limpiabotas ha reprimido una exclamación. La mancha ha desaparecido, casi tan misteriosamente como llegó. 70

—¡Le aseguro! . . .

—¡Limpie y déjese de cuentos! [36]

—Sí, sí . . .

Otra vez, el limpiabotas se inclina reverente hacia el zapato. Lo cepilla con fruición. [37] Parece como si estuviese rezando. En sus ojos 75 hay un poco de sorpresa, de incomprensión.

El zapato tiene personalidad propia. Con arrugas simétricas y afiladas, parece algo vivo, caliente. Sin embargo, el limpiabotas no se fija en eso. Está muy azorado.[38] Cepilla sin rechistar.[39]

Descuelga el pitillo de la oreja. Aplastado, vulgar. Lo enciende 80 con preocupación.

Mientras, el hombre ha vuelto a alejar la mirada. Sigue tranquilo. Sonríe aún involuntariamente.

El limpiabotas aseguraría que la calle ha quedado vacía y solemne. Casi silenciosa. Con un silencio extraño y terrible. Pero no se atreve 85 a comentarlo.

Por fin, ha concluido. Ha tardado más con este zapato. Le ha nacido, de repente, un cariño inexplicable por él. Es una mezcla de compasión y miedo. No sabe a ciencia cierta [40] por qué, ni cómo. 90

Con indiferencia, el hombre busca la cartera. Le paga.

—¡Gracias, señor!

El hombre mira a un lado y a otro, con cierta indecisión. Al fin, va hacia el bordillo.[41]

[35] tomar el pelo to make fun of; to kid.

[36] déjese de cuentos enough of this nonsense.

[37] fruición enjoyment.

[38] azorar to excite.

[39] rechistar to speak; to say a word.

[40] a ciencia cierta with certainty, for sure.

[41] bordillo curb.

95 Antes de que baje a la calzada,[42] el limpiabotas ha visto de nuevo la mancha. Parduzca, desparramada.[43] Y, ahora, brillante como los mismos zapatos. Va a decir algo. Levanta el brazo y señala. Pero, de súbito, un coche dobla a gran velocidad la esquina, y embiste [44] rabiosamente a aquel hombre.

100 Se ha oído un frenazo; [45] un golpe tremendo . . .

El coche desaparece a la misma velocidad.

Todo ha sucedido en un momento. La calzada se está manchando de sangre. Es un rojo intensísimo y vivo, como el de los ladrillos al sol. El hombre yace de bruces [46] contra el suelo.

105 El limpiabotas no ha dicho nada. No puede decir nada. Sólo se ha sentado anárquicamente [47] sobre la banqueta.

Pronto, un grupo de gente rodea a la víctima.

—¡Estos coches, Dios mío, estos coches! . . .

—¿Qué sucede?

110 —¡Pobre hombre!

—¡Un atropello! [48]

—¿Quién es?

—!Desgraciado!

El limpiabotas ha quedado sentado en la banqueta. Sin fuerza, sin
115 voluntad para evitarlo. Se descubre lenta y respetuosamente. Estrecha la boina con un gesto desconcertado entre sus manos. Y piensa. Tiene la mirada lejana. Hacia el final de la calle. Hacia el final de alguna parte.

Y el sol continúa reventando contra la pared. Se enrojece en los
120 ladrillos, como sangre. Es esa hora de la tarde en la que el sol empieza a tener importancia.

EXERCISES *El limpiabotas*

I. *Cuestionario.*

1. Describa usted al limpiabotas.
2. ¿Son nuevos los zapatos del hombre?

[42] calzada road, street.
[43] parduzca, desparramada light brown, spreading.
[44] embestir to hit; to strike.
[45] frenazo slamming of brakes.
[46] yace de bruces is lying face down.
[47] anárquicamente numbly.
[48] atropello collision. *Cf.* atropellar to knock down; to run over.

3. ¿Dónde tiene lugar esta escena?
4. ¿Está nublado el día?
5. ¿Por qué deja de hablar el limpiabotas con el hombre?
6. ¿Qué le sorprende al limpiabotas?
7. ¿Por qué se enfada el hombre?
8. Describa la calle antes del accidente. Descríbala después del accidente.
9. ¿Dónde tiene ahora el limpiabotas la mirada, como antes el hombre?
10. ¿En qué pensará?

II. *Substitute a word or an expression of similar meaning, to be selected from the following list, for the italicized parts of the sentences below.*

a ciencia cierta	de súbito	descubrirse
pitillo	de hinojos	por cierto
de nuevo	solicitar	embestir
mirar hacia lo lejos	lápiz	preguntar

1. *Se quita la boina* respetuosamente.
2. Le ha nacido, *de repente,* un cariño por el zapato.
3. No sabe *de seguro* por qué, ni cómo.
4. Tiene un *cigarrillo* en la oreja.
5. El limpiabotas sigue *arrodillado* frente al cliente.
6. El hombre no es joven, *desde luego.*
7. El limpiabotas ha decidido callar *otra vez.*
8. Al terminar un zapato, el limpiabotas *pide* el otro pie al cliente.
9. El coche dobla la esquina y *choca con* aquel hombre.
10. Mientras, el hombre ha vuelto a *alejar la mirada.*

III. *Supply the proper form of the infinitive (given in parentheses) in the following sentences.*

1. (servir) La pared ________ de fondo.
2. (mirar) El hombre sigue ________ hacia lo lejos.
3. (bajar) Antes de que el hombre ________ a la calzada, el limpiabotas ha visto de nuevo la mancha.
4. (teñir) El limpiabotas los ________ afanosamente.
5. (perdonar) ________, señor. Sus zapatos están manchados.
6. (haber) ________ una mancha cerca de los cordones.

7. (estar) Parece como si ________ rezando.
8. (decir) El limpiabotas no ha ________ nada.

IV. *Translate the following sentences.*

1. The man looks at his shoes. They need a shine.
2. The sun falls on the sidewalk.
3. He realized that his customer didn't want to talk.
4. The man pays no attention to him.
5. He thinks that the shoeshine boy is kidding him.
6. There is a spot on one of the shoes. It looks like blood.
7. Nevertheless, he doesn't dare tell him.
8. It disappeared as mysteriously as it had come.
9. The man is lying face down in the street.
10. The man continues to look towards the distance.

MIGUEL DELIBES 1920–

UNLIKE SOME YOUNG WRITERS *who never live up to the promise of their good first novels, Miguel Delibes has established himself with each succeeding work as one of the most outstanding men of contemporary Spanish letters. Born in Valladolid, he is at present a professor at the Escuela de Comercio in that city, and editor of the newspaper* El norte de Castilla.

When only twenty-seven years old, Delibes made his name nationally known with his first novel, La sombra del ciprés es alargada, *which won the important Nadal Prize for 1947. Other prizes awarded him have been the Premio Nacional de Literatura and the Premio "Juan March."*

There is an interesting dualism to be noted in the development of Delibes' work. Some of his early novels seemed to indicate that he would follow the path of tremendismo; *yet, in his third novel,* El camino *(1950), considered by many to be his best, seriousness and pessimism give way to a delightful freshness and naturalness, to gentle humor and human tenderness. His keen delineation of the adolescent character, predominant in* El camino, *is a characteristic of the major part of his production.*

Characteristic, too, is the consummate artistry of his prose. His style is simple and direct, but also poetic. You will discover his skill as a narrator in the intensely human, moving, and sensitive short story that follows.

En una noche así

Yo no sé qué puede hacer un hombre recién salido de la cárcel, en una fría noche de Navidad y con dos duros en el bolsillo. Casi lo mejor si, como en mi caso, se encuentra solo, es ponerse a silbar [1] una banal canción infantil y sentarse al relente [2] del parque a observar cómo pasa la gente y los preparativos de la felicidad de la gente. Porque lo peor no es el estar solo, ni el hiriente [3] frío de la Nochebuena, ni el terminar de salir de la cárcel, sino el encontrarse uno a los treinta años con el hombro izquierdo molido por el reuma,[4] el hígado trastornado,[5] la boca sin una pieza [6] y hecho una dolorosa y total porquería.[7] Y también es mala la soledad, y la conciencia de la felicidad aleteando [8] en torno pero sin decidirse a entrar en uno. Todo eso es malo como es malo el sentimiento de todo ello y como es absurda y torpe [9] la pretensión de reformarse uno de cabo a rabo [10] en una noche como ésta, con el hombro izquierdo molido por el reuma y con un par de duros en el bolsillo.

La noche está fría, cargada de nubes grises, que amenazan nieve. Es decir, puede nevar o no nevar, pero que nieve o no nieve no remediará mi reuma, ni mi boca desdentada,[11] ni el horroroso vacío de mi estómago. Por eso fui a donde había música y me encontré a un hombre con la cara envuelta en una hermosa bufanda,[12] pero con un traje raído,[13] cayéndosele a pedazos.[14] Estaba sentado en la acera, ante un café brillantemente iluminado y tenía entre las piernas, en el suelo, una boina negra, cargada de monedas de poco valor. Me aproximé a él y me detuve a su lado sin decir palabra, porque el hombre interpretaba en ese momento en su acordeón "El Danubio Azul," y hubiera sido un pecado interrumpirle. Además, yo tenía la sensación de que tocaba para mí, y me emocionaba el que [15] un menesteroso [16] tocase para otro menesteroso en una noche como ésa.

[1] silbar to whistle.
[2] al relente in the dampness.
[3] hiriente cutting, biting.
[4] molido por el reuma consumed by rheumatism.
[5] hígado trastornado disturbed liver.
[6] pieza *here,* tooth.
[7] hecho . . . porquería having become a complete and pitiful mess.
[8] aletear to flutter.
[9] torpe stupid.
[10] de cabo a rabo from head to foot.
[11] desdentada toothless.
[12] bufanda muffler.
[13] raído threadbare.
[14] caerse a pedazos to fall to pieces.
[15] el que the fact that; *keep on the lookout for this throughout the story.*
[16] menesteroso needy person.

Y al concluir la hermosa pieza le dije:

—¿Cómo te llamas? 30

El me miró con las pupilas semiocultas entre los párpados,[17] como un perro implorando para que no le den puntapiés.[18] Yo le dije de nuevo:

—¿Cómo te llamas?

El se incorporó y me dijo: 35

—Llámame Nicolás.

Recogió la gorra,[19] guardó las monedas en el bolsillo y me dijo:

—¿Te parece que vayamos andando? [20]

Y yo sentía que nos necesitábamos el uno al otro, porque en una noche como ésa un hombre necesita de otro hombre y todos [21] del 40 calor de la compañía. Y le dije:

—¿Tienes familia?

Me miró sin decir nada. Yo insistí y dije:

—¿Tienes familia?

El dijo, al fin: 45

—No te entiendo. Habla más claro.

Yo entendía que ya estaba lo suficientemente claro, pero le dije:

—¿Estás solo?

Y él me dijo:

—Ahora estoy contigo. 50

—¿Sabes tocar andando? —le dije yo.

—Sé —me dijo.

Y le pedí que tocara "Esta noche es Nochebuena" mientras caminábamos, y los escasos transeúntes rezagados,[22] nos miraban con un poco de recelo,[23] y yo, mientras Nicolás tocaba, me acordaba de 55 mi hijo muerto y de la Chelo y de dónde andaría la Chelo y de dónde andaría mi hijo muerto. Y cuando concluyó Nicolás, le dije:

—¿Quieres tocar ahora "Quisiera ser tan alto como la luna, ay, ay"? 60

Yo hubiera deseado que Nicolás tocase de una manera continua, sin necesidad de que yo se lo pidiera, todas las piezas que despertaban en mí un eco lejano, o un devoto recuerdo, pero Nicolás se inte-

[17] párpados eyelids.
[18] puntapiés kicks.
[19] gorra cap.
[20] ¿Te . . . andando? Shall we go?
[21] todos *Supply* necesitan.
[22] transeúntes rezagados lagging pedestrians.
[23] recelo misgiving, suspicion.

rrumpía a cada pieza y yo había de [24] rogarle que tocara otra cosa
65 en su acordeón, y para pedírselo había de volver de mi recuerdo a mi triste realidad actual, y cada incorporación al pasado me costaba un estremecimiento [25] y un gran dolor.

Y así andando, salimos de los barrios [26] céntricos y nos hallamos más a gusto en pleno foco [27] de artesanos y menestrales.[28] Y hacía
70 tanto frío que hasta el resuello [29] del acordeón se congelaba en el aire como un girón [30] de niebla blanquecina. Entonces le dije a Nicolás:

—Vamos ahí dentro. Hará menos frío.

Y entramos en una taberna destartalada,[31] sin público, con una
75 larga mesa de tablas de pino sin cepillar [32] y unos bancos tan largos como la mesa. Hacía bueno allí y Nicolás se recogió la bufanda. Vi entonces que tenía media cara sin forma, con la mandíbula inferior quebrantada [33] y la piel arrugada y recogida [34] en una pavorosa cicatriz.[35] Tampoco tenía ojo en ese lado. El me vio mirarle y me
80 dijo:

—Me quemé.

Salió el tabernero, que era un hombre enorme, con el cogote [36] recto y casi pelado [37] y un cuello ancho, como de toro. Tenía facciones abultadas [38] y la camisa recogida por encima de los codos.
85 Parecía uno de esos tipos envidiables, que no tienen frío nunca.

—Iba a cerrar —dijo.

Y yo dije:

—Cierra. Estaremos mejor solos.

El me miró y, luego, miró a Nicolás. Vacilaba. Yo dije:

90 —Cierra ya. Mi amigo hará música y beberemos. Es Nochebuena.

Dijo Nicolás:

—Tres vasos.

El hombrón,[39] sin decir nada, trancó [40] la puerta, alineó tres vasos

[24] yo había de *Note this strong use of* haber de, *having the force of* tener que.
[25] estremecimiento trembling.
[26] barrios areas, quarters.
[27] foco core, center.
[28] menestrales workmen.
[29] resuello breathing.
[30] girón strip.
[31] destartalada shabby-looking.
[32] tablas de pino sin cepillar rough pine boards.
[33] quebrantar to break.
[34] arrugada y recogida shriveled and drawn.
[35] cicatriz scar.
[36] cogote back of the neck.
[37] pelado bare.
[38] abultadas massive.
[39] hombrón husky fellow.
[40] trancar to bar; to bolt.

en el húmedo mostrador de zinc y los llenó de vino. Apuré [41] el mío y dije: 95

—Nicolás, toca "Mambrú [42] se fue a la guerra," ¿quieres?

El tabernero hizo un gesto patético. Nicolás se detuvo. Dijo el tabernero:

—No; tocará antes "La última noche que pasé contigo." Fue el último tango que bailé con ella. 100

Se le ensombreció la mirada de un modo extraño. Y mientras Nicolás tocaba, le dije:

—¿Qué? [43]

Dijo él:

—Murió. Va para tres años.[44] 105

Llenó las vasos de nuevo y bebimos, y los volvió a llenar y volvimos a beber, y los llenó otra vez y otra vez bebimos; después, sin que yo dijera nada, Nicolás empezó a tocar "Mambrú se fue a la guerra," con mucho sentimiento. Noté que me apretaba la garganta y dije:

—Mi chico cantaba esto cada día. 110

El tabernero llenó otra vez los vasos y dijo, sorprendido:

—¿Tienes un hijo que sabe cantar?

Yo dije:

—Le tuve.

El dijo: 115

—También mi mujer quería un hijo y se me fue sin conseguirlo. Ella era una flor, ¿sabes? Yo no fui bueno con ella y se murió. ¿Por qué será que mueren siempre los mejores?

Nicolás dejó de tocar. Dijo:

—No sé de qué estáis hablando. Cuando la churrera [45] me abrasó la cara la gente bailaba "La morena de mi copla." Es de lo único que me acuerdo. 120

Bebió otro vaso y tanteó [46] en el acordeón "La morena de mi copla." Luego lo tocó ya formalmente.[47] Volvió a llenar los vasos el tabernero y se acodó en el mostrador. La humedad y el frío del zinc no parecían transmitirse a sus antebrazos desnudos, sólidos como troncos. Yo le miraba a él, y miraba a Nicolás, y miraba al resto del 125

[41] apurar to finish.

[42] Mambrú *Corruption of the name of the English general, the Duke of Marlborough.*

[43] ¿Qué? What's the matter?

[44] Va para tres años Almost three years ago.

[45] churrera woman who makes and sells churros, cucumber-shaped fritters.

[46] tantear to try out; to test.

[47] formalmente seriously.

recinto [48] despoblado y entreveía en todo ello un íntimo e inexplicable latido [49] familiar. A Nicolás le brillaba el ojo solitario con unos
130 fulgores extraños. El tabernero dulcificó su dura mirada, y después de beber, dijo:

—Entonces ella no me hacía ni fu ni fa.[50] Parecía como si las cosas pudieran ser de otra manera, y a veces yo la quería y otras veces la maltrataba, pero nunca me parecía que fuera ella nada extraordi-
135 nario.[51] Y luego, al perderla, me dije: "Ella era una flor." Pero ya la cosa no tenía remedio y a ella la enterraron y el hijo que quería no vino nunca. Así son las cosas.

En tanto duró su discurso, yo me bebí un par de copas; por supuesto, con la mayor inocencia. Yo no buscaba en una noche como
140 ésta la embriaguez,[52] sino la sana y caliente alegría de Dios y un amplio y firme propósito de enmienda. Y la música que Nicolás arrancaba del acordeón estimulaba mis rectos impulsos y me empujaba a amarle a él, a amar al tabernero y a amar a mi hijo muerto y a perdonar a la Chelo su desvío.[53] Y dije:

145 —Cuando el chico cayó enfermo yo dije a la Chelo que avisara al médico y ella me dijo que un médico costaba [54] diez duros. Y yo dije: "¿Es dinero eso?" Y ella dijo: "Yo no sé si será dinero o no, pero yo no lo tengo." Y yo dije, entonces: "Yo tampoco lo tengo, pero eso no quiere decir que diez duros sean dinero."

150 Nicolás me taladraba [55] con su ojo único, enloquecido por el vino. Había dejado de tocar y el acordeón pendía desmayado [56] de su cuello, sobre el vientre, como algo frustrado o prematuramente muerto. El instrumento tenía mugre [57] en las orejas y en las notas y en los intersticios del fuelle; [58] pero sonaba bien, y lo demás no
155 importaba. Y cuando Nicolás apuró otra copa, le bendije interiormente, porque se me hacía [59] que bebía música y experiencia y disposición para la música. Le dije:

—Toca "Silencio en la noche," si no estás cansado.

Pero Nicolás no me hizo caso; quizás no me entendía. Su único
160 ojo adquirió de pronto una expresión ausente. Dijo Nicolás:

[48] recinto place (*room*).
[49] latido beat.
[50] no hacer ni fu ni fa not to pay attention.
[51] nada extraordinario anything extra.
[52] embriaguez drunkenness.
[53] desvío running away.
[54] costaba *Imperfect, not conditional, tense. He is reporting, in indirect discourse, the words of la Chelo.*
[55] taladrar to drill; to pierce.
[56] desmayado lifeless.
[57] mugre dirt.
[58] intersticios del fuelle creases of the bellows.
[59] se me hacía I imagined.

—¿Por qué he tenido yo en la vida una suerte tan perra? [60] Un día yo vi en el escaparate [61] de una administración de loterías [62] el número 21 y me dije: "Voy a comprarle; [63] alguna vez ha de tocar el número 21." Pero en ese momento pasó un vecino y me dijo: "¿Qué miras en ese número, Nicolás? La lotería no cae en los números bajos." Y yo pensé: "Tiene razón; nunca cae la lotería en los números bajos." Y no compré el número 21 y compré el 47.234. 165

Nicolás se detuvo y suspiró. El tabernero miraba a Nicolás con atención concentrada. Dijo:

—¿Cayó, por casualidad, el gordo [64] en el número 21? 170

A Nicolás le brillaba, como de fiebre, el ojo solitario. Se aclaró la voz con un carraspeo [65] y dijo:

—No sé; pero en el 47.234 no me tocó ni el reintegro.[66] Fue una cochina [67] suerte la mía.

Hubo un silencio y los tres bebimos para olvidar la negra suerte de Nicolás. Después bebimos otra copa para librarnos, en el futuro, de la suerte perra. Entre los tres iba cuajando [68] un casi visible sentimiento de solidaridad. Bruscamente, el tabernero nos volvió la espalda y buscó un nuevo frasco en la estantería.[69] Entonces noté yo debilidad en las rodillas, y dije: 175 180

—Estoy cansado; vamos a sentarnos.

Y nos sentamos, Nicolás y yo en el mismo banco y el tabernero, con la mesa por medio, frente a nosotros; y apenas sentados, el tabernero dijo:

—Yo no sé qué tenía aquella chica que las demás no tienen. Era rubia, de ojos azules, y a su tiempo, se movía bien. Era una flor. Ella me decía: "Pepe, tienes que vender la taberna y dedicarte a un oficio más bonito." Y yo le decía: "Sí, encanto." [70] Y ella me decía: "Es posible que entonces tengamos un hijo." Y yo le decía, "Sí, encanto." Y ella decía: "Si tenemos un hijo, quiero que tenga los ojos azules como yo." Y yo le decía: "Sí, encanto." Y ella decía . . . 185 190

Balbucí [71] yo:

—Mi chico también tenía los ojos azules y yo quería que fuese boxeador. Pero la Chelo se plantó [72] y me dijo que si el chico era

[60] perra hard, bitter.
[61] escaparate (display) window.
[62] administración de loterías place where lottery tickets are sold.
[63] comprarle *Note the pronoun* le *instead of* lo.
[64] el gordo first prize.
[65] carraspeo hoarse grunt.
[66] reintegro what I paid for it.
[67] cochina filthy.
[68] cuajar to take shape.
[69] estantería shelf.
[70] encanto delight; *translate* darling.
[71] balbucir to stammer.
[72] se plantó balked.

195 boxeador ella se iba.[73] Y yo le dije: "Para entonces ya serás vieja; nadie te querrá." Y ella se echó a llorar. También lloraba cuando el chico se puso malito [74] y yo, aunque no lloraba, sentía un gran dolor aquí. Y la Chelo me echaba en cara el que yo no llorase, pero yo creo que el no llorar deja el sentimiento dentro y eso es peor.
200 Y cuando llamamos al médico, la Chelo volvió a llorar porque no teníamos los diez duros y yo le pregunté: "¿Es dinero eso?" El chico no tenía los ojos azules por entonces, sino pálidos y del color del agua. El médico, al verlo, frunció el morro [75] y dijo: "Hay que operar en seguida." Y yo dije: "Opere." La Chelo me llevó a
205 un rincón y me dijo: "¿Quién va a pagar todo esto? ¿Estás loco?" Yo me enfadé: "¿Quién ha de pagarlo? Yo mismo," dije. Y trajeron una ambulancia y aquella noche yo no me fui a echar la partida,[76] sino que me quedé junto a mi hijo, velándole. Y la Chelo lloraba en un rincón, sin dejarlo un momento.

210 Hice un alto [77] y bebí un vaso. Fuera sonaban las campanas anunciando la misa del Gallo.[78] Tenían un tañido [79] lejano y opaco aquella noche y Nicolás se incorporó y dijo:

—Hay nieve cerca.

Se aproximó a la ventana, abrió el cuarterón,[80] lo volvió a cerrar
215 y me enfocó su ojo triunfante:

—Está nevando ya —dijo—. No me he equivocado.

Y permanecimos callados un rato, como si quisiésemos escuchar desde nuestro encierro el blando posarse [81] de los copos sobre las calles y los tejados. Nicolás volvió a sentarse y el tabernero dijo
220 destemplado: [82]

—¡Haz música!

Nicolás ladeó la cabeza y abrió el fuelle del acordeón en abanico. Comenzó a tocar "Adiós, muchachos, compañeros de mi vida." El tabernero dijo:

225 —Si ella no se hubiera emperrado [83] en pasar aquel día con su madre, aún estaría aquí, a mi lado. Pero así son las cosas. Nadie sabe lo que está por [84] pasar. También si no hubiera tabernas el chófer estaría sereno y no hubiera ocurrido lo que ocurrió. Pero el

[73] se iba *Compare with note 54.*
[74] malito (*diminutive of* malo) sick.
[75] frunció el morro pursed his lips.
[76] echar la partida to play (*e.g., cards*).
[77] hacer un alto to stop.
[78] misa del Gallo midnight Mass.
[79] tañido sound, tone.
[80] cuarterón shutter.
[81] posarse landing.
[82] destemplado irritably.
[83] emperrarse to be obstinate; to insist.
[84] estar por to be ready to; to be about to.

chófer tenía que estar borracho y ella tenía que ver a su madre y los dos tenían que coincidir en la esquina precisamente, y nada 230 más. Hay cosas que están escritas y nadie puede alterarlas.

Nicolás interrumpió la pieza. El tabernero le miró airado [85] y dijo:

—¿Quieres tocar de una vez? [86]

—Un momento —dijo Nicolás—. El que yo no comprara el 235 décimo [87] de lotería con el número 21 aquella tarde fue sólo culpa mía y no puede hablarse de mala suerte. Ésta es la verdad. Y si la churrera me quemó es porque yo me puse debajo de la sartén.[88] Bueno. Pero ella estaba encima y lo que ella decía es que lo mismo que [89] me quemó pudo ella coger una pulmonía [90] con el aire del 240 acordeón. Bueno. Todo son pamplinas [91] y ganas de enredar [92] las cosas. Yo le dije: "Nadie ha pescado una pulmonía con el aire de un acordeón, que yo sepa." Y ella me dijo: "Nadie abrasa a otro con el aceite de freír los churros." Yo me enfadé y dije: "¡Caracoles, usted a mí!" [93] Y la churrera dijo: "También pude yo pescar una 245 pulmonía con el aire del acordeón."

A Nicolás le brillaba el ojo como si fuese a llorar. Al tabernero parecía fastidiarle el desahogo [94] de Nicolás.

—Toca; hoy es Nochebuena —dijo.

Nicolás sujetó entre sus dedos el instrumento. Preguntó: 250

—¿Qué toco?

El tabernero entornó [95] los ojos, poseído de una acuciante [96] y turbadora nostalgia:

—Toca de nuevo "La última noche que pasé contigo," si no te importa. 255

Escuchó en silencio los primeros compases [97] como aprobando. Luego dijo:

—Cuando bailábamos, ella me cogía a mí por la cintura en vez de ponerme la mano en el hombro. Creo que no alcanzaba a mi hombro porque ella era pequeñita y por eso me agarraba por la 260

[85] **airado** angrily.
[86] **de una vez** once and for all.
[87] **décimo** tenth part of a lottery ticket.
[88] **sartén** frying pan.
[89] **lo mismo que** just as; the same as.
[90] **pudo ella coger una pulmonía** she could have caught pneumonia.
[91] **pamplinas** nonsense.
[92] **enredar** to tangle up.
[93] **¡Caracoles, usted a mí!** Darn it! Enough of that!
[94] **desahogo** relief, unburdening.
[95] **entornar** to half-close.
[96] **acuciante** sharp.
[97] **compases** (*singular* compás) measures (*music*).

cintura. Pero eso no nos perjudicaba [98] y ella y yo ganamos un concurso de tangos. Ella bailaba con mucho sentimiento el tango. Un jurado [99] le dijo: "Chica, hablas con los pies." Y ella vino a mí a que la besara en los labios porque habíamos ganado el concurso 265 de tangos y porque para ella el bailar bien el tango era lo primero y más importante en la vida después de tener un hijo.

Nicolás pareció despertar de un sueño.

—¿Es que no tienes hijos? —preguntó.

El tabernero arrugó la frente.

270 —He dicho que no. Iba a tener uno cuando ella murió. Para esos asuntos iba a casa de su madre. Yo aún no lo sabía.

Yo bebí otro vaso antes de hablar. Tenía tan presente a mi hijo muerto que se me hacía que el mundo no había rodado desde entonces. Apenas advertí la ronquera [100] de mi voz cuando dije:

275 —Mi hijo murió aquella noche y la Chelo se marchó de mi lado sin despedirse. Yo no sé qué temería la condenada [101] puesto que el chico ya no podía ser boxeador. Pero se fue y no he sabido de ella desde entonces.

El acordeón de Nicolás llenaba la estancia de acentos modulados 280 como caricias. Tal vez por ello el tabernero, Nicolás y un servidor [102] nos remontábamos [103] en el aire con sus notas, añorando [104] las caricias que perdimos. Sí, quizá fuera por ello, por el acordeón; tal vez por la fuerza evocadora de una noche como ésta. El tabernero tenía ahora los codos incrustados en las rodillas y la mirada perdida bajo 285 la mesa de enfrente.

Nicolás dejó de tocar. Dijo:

—Tengo la boca seca.

Y bebió dos nuevos vasos de vino. Luego apoyó el acordeón en el borde de la mesa para que su cuello descansara de la tirantez [105] 290 del instrumento. Le miré de refilón [106] y vi que tenía un salpullido [107] en la parte posterior del pescuezo.[108] Pregunté:

—¿No duele eso?

Pero Nicolás no me hizo caso. Nicolás sólo obedecía los mandatos imperativos. Ni me miró esta vez, siquiera. Dijo:

[98] perjudicar to hurt.
[99] jurado judge (*contest*).
[100] ronquera hoarseness.
[101] la condenada that wretched woman.
[102] un servidor yours truly (I).
[103] remontarse to rise up; to soar.
[104] añorar to long for.
[105] tirantez strain.
[106] de refilón askance.
[107] salpullido rash.
[108] pescuezo neck.

8. *Hice un alto* y bebí un vaso.
9. Nadie sabe lo que *está por* pasar.
10. Parecía uno de esos tipos que no *tienen frío* nunca.

III. *Use the expressions and idioms of the preceding exercise in short sentences of your own.*

IV. *Give the proper form of the verbs in parentheses, being careful to distinguish between the subjunctive and the indicative.*

1. Yo dije a la Chelo que (*avisar*) al médico.
2. Después, sin que yo (*decir*) nada, Nicolás tocó otra canción.
3. Si ella no hubiera ido a ver a su madre, aún (*estar*) aquí.
4. Permanecimos callados un rato, como si (*querer*) escuchar el caer de la nieve.
5. Y ella decía: "Si (*tener*) un hijo, quiero que (*tener*) los ojos azules como yo."
6. Yo (*desear*) [express "would have desired" in two ways] que Nicolás tocase de una manera continua, sin necesidad de que yo se lo (*pedir*).
7. Y si la churrera me (*quemar*) es porque yo me puse debajo de la sartén.
8. Aquella noche yo no me fui a echar la partida, sino que me (*quedar*) junto a mi hijo.

V. *State whether the following are true or false.*

1. El narrador fue libertado de la cárcel porque era Navidad.
2. En la cárcel le sacaron todos los dientes.
3. Nicolás y él *hacen buenas migas* [get along] porque se necesitan el uno al otro.
4. Nicolás perdió a su esposa hace tres años.
5. Nicolás habla más por su acordeón que por su voz.
6. La mujer del tabernero no le hacía ni fu ni fa porque no bailaba tan bien como ella.
7. Cuánto más beben los tres hombres, tanto más se acuerdan de su negra suerte.
8. La Chelo dejó plantado al narrador cuando su hijo se hizo boxeador.
9. Nicolás es fatalista.
10. La historia se termina porque no hay más vino que tomar.

VOCABULARY

The following are not included in the vocabulary: a small number of easily recognizable cognates; many expressions occurring only once and already translated in a footnote; articles, pronouns, numerals, days and months; most diminutives and adverbs ending in **-mente**; and the feminine forms of most adjectives. Gender is not indicated for masculine nouns ending in **-o**, or for feminine nouns in **-a, -dad, -ión, -tad, -tud.**

The following abbreviations are used: *adj.*, adjective; *adv.*, adverb; *coll.*, colloquial; *excl.*, exclamation; *f.*, feminine gender; *inf.*, infinitive; *m.*, masculine gender; *n.*, noun; *prep.*, preposition; *v.*, verb.

abajo down; below
abandonar to abandon, forsake
abanico fan
abatido dejected
abatimiento depression, dejection
abismo abyss
abrasar to burn
abrazar to embrace
abrazo hug, embrace
abrir to open
absorber to absorb
abuela grandmother
abuelo grandfather
aburrido boring
aburrir to bore; ———se to get bored
abusar to go too far; to impose
acabar to finish; to end; ———se to come to an end
acacia acacia
acariciar to caress; to love
acaso perhaps; por ——— by chance
acceder to accede; to agree
aceite *m.* oil
aceituna olive
acento accent, tone
acequia irrigation ditch, water-course
acera sidewalk
acerca de about, concerning
acercar to bring near; ———se a to approach
acertar to guess right; to be right
aclarar to clear, to make clear
acodar to lean the elbow upon
acomodarse to comply, to adapt oneself
acompañante *m.* companion, attendant
acompañar to accompany
acordar to agree; ———se de to remember
acordeón *m.* accordion
acostumbrar to accustom; to be accustomed
actitud attitude
acto act
actriz actress
actual present, at the present time
actualidad present time; en la ——— at the present time
acuerdo agreement; estar de ——— to agree
adelantarse to move forward
adelante forward, go ahead! come in!
además besides, moreover
adivinar to guess
adjetivo adjective
admirador admirer
admirar to admire; to surprise; ———se to wonder
adolescencia adolescence
adorar to adore
adquirir to acquire
advertir to notice; to observe; to advise

afición fondness, taste, inclination
afilado sharp
afueras *f.* outskirts, suburbs
agacharse to squat; to crouch
agarrar to grasp; to seize
agradar to please
agregar to add
agrícola agricultural
agua water
aguantar to endure; to tolerate
aguardar to await
agudo sharp, acute
agujero hole
ahogar to choke; to suffocate; to drown
ahogo *m.* shortness of breath, suffocation; tightness (of the chest, etc.)
ahora now; hasta ——— see you soon
aire *m.* air, importance
álamo poplar
alargar to lengthen; to stretch
alarmarse to become alarmed
alavés of Alava
alba dawn
alcanzar to reach
alcurnia ancestry, lineage
aldea village
alegre gay
alegría joy, happiness
alejar to remove to a distance
aleluya hallelujah
alemán German
alfabeto alphabet
alfalfa alfalfa
alfombra rug
alfombrar to carpet
algo something, somewhat
alguno some, someone, any
aliento breath
alimentación food, nutrition
alinear to line up
allá there; por ——— thereabouts, back there
alma soul
almendro almond tree
alrededor around; ——— de around, about; a su ——— around him
alterar to alter; to change
altivo proud, haughty, arrogant
alto tall, high; en lo ——— at the top, on top (of)
altozano hillock, knoll
altura height
alumno pupil
amable friendly, kind, amiable
amada beloved (one)
amanecer *m.* dawn, daybreak; al ——— at daybreak; *v.* to dawn
amante lover; *adj.* fond, loving
amar to love
amargo bitter, dolorous
amargura bitterness
amarillento yellowish
amarillo yellow
ambiente *m.* atmosphere, environment
ambulancia ambulance
amenazar to threaten
amigo friend
amo master
amor *m.* love
amoroso amorous, loving, affectionate
amplificación enlargement, extension
amplio ample, full
anarquista anarchist
ancho wide
anciano old, ancient
andar to go; to walk; to travel; to be (healthy)
ángel *m.* angel
ángulo angle, corner
anhelo yearning, longing
ánimo spirit, courage
ansia yearning, anxiety
ansioso anxious
ante before
anteayer day before yesterday
antebrazo forearm
antes before, rather
anticuado antiquated, obsolete

antiguo ancient, old
antipatía antipathy, dislike
anunciar to announce; to advertise
anuncio announcement, advertisement
añadir to add
año year
apagar to put out; to extinguish; to soften (colors)
aparecer to appear
apartar to push away, to take aside; ——se to move away, to withdraw
aparte aside (remark)
apenas scarcely, hardly
apetecer to long for
apetecible desirable
apetito appetite
apetitoso appetizing
aplastar to flatten; to crush
aplicado industrious
apoyar to lean; to rest
apreciar to appreciate; to appraise
aprender to learn
aprensión apprehension, strange idea
apretar to squeeze; to press; to tighten
aprieto jamming, crush, difficulty
aprobar to approve
aprovechar to profit by; to make good use of
aproximarse to come near
aptitud aptitude
apurar to empty; to drain; to consume
árbol *m.* tree
arboleda grove
arcaico archaic
arco iris *m.* rainbow
arder to burn
ardientemente ardently
arduo arduous, hard
argentino silvery
armonía harmony
aromar to give an aroma
arrancar to tear away; to pull out
arrastrar to drag
arreglar to adjust; to arrange; to fix
arriba above, upstairs
arrimarse a to lean against
arrodillado kneeling
arrodillarse to kneel down
arroyo brook, stream
arruga wrinkle, crease, fold
arrugar to wrinkle; to crease
arruinar to ruin; to destroy
arte *m.* art
artesano artisan, laborer
articular to articulate; to utter
artículo article
artillería artillery
artístico artistic
ascender to ascend; to mount; to climb
ascetismo asceticism
asegurar to assure; to assert
asentir to assent
así thus, so; —— que as soon as
asignatura course (in school curriculum)
asir to seize; to grasp; ——se to take hold
asistir to assist; —— a to attend
asociar to associate; to take as partner
asomar to show, to stick out, to appear; ——se a to peep into
asombro fear; amazement; wonder
aspecto aspect
áspero rough, harsh, bitter, gruff
aspiración aspiration
aspirante applicant, candidate
astro star
asunto matter, business, affair
atacar to attack
ataque *m.* attack
atardecer *m.* late afternoon; *v.* to draw towards evening
atención attention
atender to attend; to take care of

atener to abide, to depend; ———se a to abide by, to rely on
atento attentive
aterrar to terrify
atractivo attractiveness, charm
atraer to attract
atrapar to catch
atrás back; hacia ——— backwards
atravesar to cross; to go through
atrever to dare; ———se a + *inf.* to dare to
atropellar to knock down
augurio augury
aun (aún) even, still, yet
aunque although, even though
aurora aurora, dawn
ausente absent
austero austere
austríaco Austrian
autoridad authority, power
avergonzar to shame, to embarrass; ———se to be ashamed
aviador *m.* aviator
ávidamente avidly
avisar to advise; to inform
¡ay! alas!; ¡ay de mí! woe is me!
ayer yesterday
azahar *m.* orange flower
azul blue

bachillerato secondary school diploma
bailar to dance
bailarín *m.* dancer
bajar to go down; to lower
bajo low; *prep.* under; *adv.* below
balcón *m.* balcony, large window
banco bench
bandeja tray
bandido bandit
bandolero brigand, robber, highwayman
banqueta stool
bañar to bathe; to dip
baño bath
barca boat
barco boat
barrio *m.* suburb, quarter, district
basar to base
bastante enough
bastar to suffice; to be enough
bastón cane, walking stick
batalla battle
beatífico beatific, blissful
beber to drink
bello beautiful
bendecir to bless
bendito blessed
benigno benign, mild
besar to kiss
biblioteca library
bien well; más ——— rather
bigote *m.* moustache
bizquear to squint; to cross one's eyes
blanco white
blando soft, tender
blandura softness, gentleness
blanquecino whitish
bobada foolishness, nonsense
boca mouth
bocado morsel, mouthful
boda marriage, wedding
boga vogue
boina beret
bola ball
bolsillo pocket, bag
bomba bomb
bondad kindness; tener la ——— (de) please
bonito pretty
borde *m.* edge, shore
borracho drunk
boxeador *m.* boxer
brazo arm
brillante shining, bright, brilliant
brillar to gleam; to shine
brisa breeze
broma joke, jest
bronce *m.* bronze
brusco brusque, sudden
Bruselas Brussels
brutalidad brutality, stupidity

bruto brute, brutish, stupid, rough
bueno good, fine, O.K., well, then
buey *m.* ox, steer
bufanda scarf, muffler
burgués bourgeois, middle-class
burla ridicule, joke, jest, trick, deception
burlador *m.* seducer of women
burro ass, donkey
buscar to seek, to look for; **en busca de** in search of
butaca armchair, easy chair

caballería cavalry
caballero knight, nobleman, gentleman
caballo horse
cabaña cabin, hut
cabellera head of hair
caber to have room for; to fit; to befall; to remain
cabeza head
cabo end; **al ———** finally
cada each, every
cadáver *m.* corpse
caer to fall; **———se** to fall down
café *m.* coffee, café
caja box
cajón *m.* big box, drawer, desk
caliente warm, hot
calor *m.* heat, warmth
callar to be quiet; to keep silent
calle *f.* street
calleja side street, alley
cama bed
cambiar to change
cambio change, exchange; **en ———** on the other hand; **a ———** in exchange
caminar to walk; to move; to go
camino path, road, journey
camisa shirt
campana bell
campiña field, countryside
canción song
cándido candid, innocent, shy
candoroso candid, frank
caníbal cannibal
cansado tired
cansancio weariness
cantar to sing; *m.* song
cantidad quantity
canto singing
caos *m.* chaos
capa cape
capitán *m.* captain
capricho caprice, whim
cara face
carácter *m.* character
característico characteristic
caramba *excl.* confound it! gracious!
cárcel *f.* jail
carecer to lack
cargar to load
caricatura caricature
caricia caress
cariciar to love; to caress
caridad charity, love
cariño love, affection
carne *f.* meat, flesh
carrera race, course, career, road
carta letter, playing card
cartera wallet
casa house, firm
casar to marry; **———se** to marry, to get married
casi almost
caso case, thing; **hacer ——— a** to heed, to pay attention to
castellano Castilian, of Castilla
castigo punishment
castillo castle
casual casual, accidental
casualidad chance; **por ———** by chance
catarata cataract, waterfall
cebolla onion
ceder to yield
cegador blinding
cegar to blind
ceguera blindness
celebrar to celebrate; to welcome; to be glad

celeste celestial
celoso jealous
cementerio cemetery
cemento cement
céntimo cent (one hundredth of a peseta)
céntrico downtown; centric
cepillar to brush
cerebro skull, head, brain
cerrar to close
Cervantes (1547–1616) creator of *Don Quijote*
cerveza beer
cesar to cease; ——— de + *inf.* to cease + *gerund*
cien (ciento) hundred
ciencia science, knowledge
cierto sure, certain; por ——— surely; de ——— certainly
cifra cipher, figure
cigarro cigar
cinta ribbon, band, strip
cintura waist
ciprés *m.* cypress tree
circo circus
círculo circle
citar to quote; to cite; to make an appointment
ciudad city
ciudadano citizen
civilización civilization
clamar to exclaim; to cry out
clarear to light; to give light to
claro clear, bright, obvious, of course
clase *f.* class, kind
cliente *m.* client, customer
clima *m.* climate, weather
cloroformo chloroform
cobarde coward
cobrar to collect; to recover
cocer to cook
coche *m.* car, automobile
coche-cama *m.* sleeping car (train)
cochino dirty, filthy
cocina kitchen, cuisine
cocinera cook
cocodrilo crocodile
codiciar to covet
codo elbow
coger to pick; to seize; to grasp; to take; to come upon
cohesión cohesion
coincidir to coincide; to meet
cojo lame, crippled
colección collection
coleccionista *m.* collector
colegio private school
colgado hanging
colgar to hang
colmar to heap up; to fill
colocar to place; to put
color *m.* color
colorear to redden
combate *m.* combat
combatir to combat; to fight
comedor dining room
comentar to comment on; to relate
comentario commentary
comenzar to begin
comer to eat
comercio trade, commerce
cometer to commit
cómico comical, ludicrous
comida meal, food
como like, as, as if, since; ¿cómo? how?; ¡cómo! what!
compañera, compañero companion, friend, schoolmate
compañía company, society
comparar to compare
compasión compassion, sympathy
compatriota compatriot, countryman
completo complete; por ——— completely
componer to compose
comprar to buy
comprender to understand
común common
comunicativo communicative
concebir to conceive
conceder to grant
concentrar to concentrate

concepto concept
conciencia conscience, consciousness, awareness
concluir to conclude
concretar to make concrete; to explain
concurrir to gather; to come together
concurso contest
condecorar to decorate
condenar to condemn; to damn; to convict
condición condition, state, status
conducir to lead; to conduct; to drive
confesar to confess
confiado trustworthy, confiding
confianza confidence
confiar to entrust
confundir to confuse
congelarse to congeal; to freeze
conjunto whole, aggregate; *adj.* united, connected
conocedor (de) expert in, familiar with; *m.* connoisseur, expert
conocer to know; to distinguish
conque and so, so then
conquista conquest
consagrar to consecrate
consciente conscious
consecuencia consequence
conseguir to obtain; to get
consentir to consent; ——— en to consent to
conservar to conserve; to keep
consideración consideration
considerar to consider
constante constant
constituir to constitute to establish
constructor *m.* builder
consuelo consolation, joy, comfort
consultar to consult; to advise
contar to count; to relate; to tell
contener to contain
contento content, happy
contestar to answer
continuar to continue
continuidad continuity
continuo continuous; de ——— continuously
contra against, versus
contrariar to contradict; to vex
contrario contrary, opposite
contribuir to contribute
convaleciente convalescent
convencer to convince
conveniente suitable, fit, advantageous
convenir to be suitable; to agree
conversar to converse
convertir to convert
copa cup, drink, glass, treetop
copiar to copy; to imitate
copla ballad; popular song
copo flake
corazón *m.* heart
corbata tie
cordón *m.* cord, shoelace
coro chorus; a ——— in chorus, together
corona crown
coronar to crown; to cap
corredor *m.* corridor
corregir to correct
correo mail
correr to run; to travel; ——— mucho mundo to travel a lot
corrida course, race; ——— de toros bullfight
corriente *adj.* common, ordinary; *f.* current, stream; estar al ——— de to know, to keep up with
corro circle, ring
cortar to cut
cortina curtain
cosa thing; ——— de about
cosmos *m.* cosmos, universe
costa cost
costar to cost
costumbre *f.* custom, habit
crear to create
crecer to grow, increase
crecido large, big, full-fledged

crédulo credulous
creer to believe; to think
creíble credible, believable
criada servant, maid
criado servant
crisol *m.* crucible
cristal *m.* crystal, pane of glass, mirror
cristalino crystaline
cristianismo Christianity
cristiano Christian
Cristo Christ
crítica criticism
crítico critic; *adj.* critical
crónica chronicle, article
crucifijo crucifix
cruz *f.* cross
cruzar to cross
cuadro painting, portrait
cuajar to take shape
cualquiera some, any; someone, anyone
cuando when; **de** ——— **en** ———, **de vez en** ——— from time to time
cuanto as much as, whatever, all that which; (*plural*) those who; **en** ——— as soon as
cuartilla sheet of paper
cuarto room
cubano Cuban
cubrir to cover
cuchillo knife
cuello neck, collar
cuenta bill, account; **darse** ——— **de** to realize
cuento short story
cuero leather, rawhide
cuerpo body
cuestión question, matter, business
cuidado care; **con** ——— carefully
culpa fault, guilt; **echar la** ——— **a** to blame
culto cult
cultura culture
cumbre *f.* summit
cumplir to execute; to fulfill
cúpula cupola, dome
cura cure, care; *m.* priest
curación cure, healing
curar to cure; to heal; to recover
curiosidad curiosity; **tener** ——— to be curious

champaña champagne; **vino de** ——— champagne
chico child, youngster, lad; *coll.* "old boy"; *adj.* small
chimenea chimney, fireplace
chino Chinaman, Chinese
chocar to shock; ——— **con** to collide
chófer *m.* driver
churro fritter

dama lady
Danubio Danube river
dañar to injure; to harm
daño *m.* injury, harm
dar to give; to strike (the hour); ——— **con** to come upon
Darwin (1809–1882) author of *The Origin of Species* and *The Descent of Man*
dato basis, fact
de of, with, from
debajo de beneath, under
deber to owe; to have to
débil weak
debilidad weakness
decadente decadent
decepción deception, disappointment
decidir to decide; ———**se** to decide, to be determined
decisivo decisive
declamación declamation
declarar to declare
dedicar to devote; to dedicate
dedo finger
defecto defect
defensa defense
definitivo definitive
dejar to leave, to abandon;

———se to allow oneself; ——— de + *inf.* to cease, to stop; ——— plantado to jilt
delantal *m.* apron
delante before, in front; por ——— de in front of; ——— de (a) in front of
delgado thin, slender
delicadeza delicacy, daintiness
delicioso delicious, delightful, charming
demás other, rest of; lo ——— the rest
demasía excess; en ——— too much, excessively
demasiado too, too much
demócrata democratic
demonio devil, demon
demostrar to demonstrate; to prove; to teach
dentadura set of teeth
dentro inside, within; ——— de inside (of)
depender (de) to depend (on)
derecha right hand, right side; a la ——— to the right, on the right
derecho right, straight; *m.* right, privilege
derivar to derive
derramar to pour out; to scatter
desacuerdo discord, disagreement
desagradable disagreeable
desahogo unburdening, relief
desaparecer to disappear
desarrimar to separate; to remove
desarrollo development, unfolding
desayunar to breakfast; ———se to have breakfast
descansar to rest
descanso rest
descender to descend
descolgar to take down
descolorir to discolor
desconcertar to disconcert; to disturb
desconfianza distrust
descontar to discount; to deduct
descubrir to discover, to uncover; ———se to take off one's hat
desde since, from, after; ——— que since
desdén *m.* disdain, scorn
desdichado wretch, unfortunate person
desear to want; to desire
desesperarse to despair
desgracia misfortune, disgrace; por ——— unfortunately
desgraciado unfortunate, unlucky
desierto deserted; *m.* desert
deslizar to slide; to glide
desmán *m.* excess, mishap
desnudar to undress
desnudo naked, bare
desolación desolation
despacho office, study
despavorido terrified, aghast
despedirse to leave; to say goodbye
despertar to awake; ———se to wake up
despoblado depopulated, deserted
despreciar to despise; to scorn; to rebuff
desprecio scorn, contempt
despreocupado unworried, unconcerned
después after, later
destacar(se) to stand out
destello sparkle, flash
destino destiny, fate
destrozar to destroy; to break to pieces
desván *m.* attic, garret
desvendarse to take a bandage off
detalle *m.* detail
detener to stop; to hold back; to check
detrás de behind
devoción devotion
devolver to return
devorar to devour
devoto devout, devoted
día *m.* day; de ——— in the daytime

diablo devil
diadema diadem
diálogo dialogue
diamante *m.* diamond
dicha happiness, good fortune
dichoso happy, fortunate
diente *m.* tooth
diferenciar to differentiate
diferente different
difuso diffused
digno worthy
diminutivo diminutive
Dios *m.* God; por ———, Dios mío for heaven's sake, goodness, etc.
director *m.* director, editor
dirigir to turn, to direct; ———se to go
discípulo disciple, pupil
discurso discourse, speech
disgusto displeasure, annoyance
dispensar to excuse; to pardon
displicente disagreeable, peevish
disposición disposition, aptitude, disposal
disputar to dispute; to debate; to argue over
distinción distinction
distinguir to distinguish; ———se to be different
diverso different, varied
divertido amusing
divertir to amuse; ———se to have a good time
divino divine
doblar to turn (a corner)
doctorado doctorate
doctrina doctrine
dólar *m.* dollar
doler to hurt
dolor *m.* pain, grief; ——— de cabeza headache
doloroso painful, pitiful
dominar to dominate, control
don *m.* gift, talent
donde where
dorado golden, gilt
drama *m.* play, drama
duda doubt
dudar to doubt
dulce sweet, gentle, pleasant, soft
dulcificar to soften
dulzura sweetness, gentleness
duque duke
durar to last
duro hard, harsh; *m.* coin worth five pesetas

ea *excl.* hey!
echar to throw, to hurl, to lie down; echarle a uno en cara to accuse, reproach; ——— a to start to, to begin
eclipse *m.* eclipse
eco echo
edén *m.* Eden (biblical and figurative)
efectivamente really, actually
efecto effect; en ——— indeed, as a matter of fact
egoísta egoistic; *m.* egoist
ejemplo example; por ——— for example
ejercer to exercise
ejercicio exercise
ejército army
elaborado elaborated, wrought
elegir to choose; to elect
elevar to elevate; ———se to rise, to ascend
embargo embargo, restriction; sin ——— nevertheless
emborrachar to intoxicate; to get drunk
embriagar to intoxicate
embustero liar
eminente eminent
emoción emotion
emocionar to move; to stir; to touch
emotivo emotive, emotional
empeñarse (en) to insist (on)
emperador *m.* emperor
empezar to begin
emplear to employ; to use
empleo use

empujar to push; to impel
enamorador *m.* lover, suitor
enamorar to enamor, to inspire love in
encaje *m.* lace; inlay
encantador enchanting, charming
encanto charm, fascination, delight
encargar to entrust; ——se de to take charge of, to be entrusted with
encender to light
encendido bright, inflamed, red
encerrar to shut in; to lock up; to confine
encierro confinement, prison
encima above; por —— de over
encontrar to find
encorvar to bend; to stoop
enderezar to straighten
enemigo enemy
energía energy
enérgicamente energetically
enfadar to annoy, to anger; ——se to get angry
enfermar to get sick
enfermedad sickness, illness
enfocar to focus
engañar to deceive; to cheat
engaño deceit, fraud, mistake
enloquecer to drive crazy; to madden
enmienda correction, amends
enojado cross, angry
enorme enormous
enrojecer to redden; to blush; ——se to turn red
ensalada salad
ensalzar to extol; to exalt
enseñanza teaching, instruction, education
enseñar to teach; to show
ensombrecer to darken; ——se to become sad, to grow dark
ensueño dream, daydream
entender to understand; to believe
entendimiento understanding
enterar to inform, to acquaint, to advise; ——se to find out
entero entire, whole
enterrar to bury
entonces then; para —— by that time
entrar to go in; to enter
entre between, among
entregar to deliver; to hand over
entrever to glimpse; to suspect
entristecer to sadden; ——se to become sad
entusiasmar to enthuse; to enrapture; to make enthusiastic
entusiasmo enthusiasm
entusiasta enthusiastic; *m.* enthusiast
enviar to send
envidia envy
envidiable enviable
envidiar to envy
envidioso envious
envolver to wrap; to wrap up
época epoch, era
equivocación mistake
equivocarse to be mistaken; to make a mistake
errabundo wandering
errante wandering, roving
errar to wander; to roam
erudición erudition
escalón *m.* step, rung
escándalo noise, uproar
escapar to save, to escape; ——se a to escape from (a person)
escaso scant, scarce, few
escena scene, incident, episode
esconder to hide; to conceal
escribir to write
escritor *m.* writer
escuchar to listen to
escudo coat of arms, escutcheon
escuela school
esencia essence
eso that; —— de that business (matter) of
espacio space
espada sword

espalda back
espanto fear
espantoso fearful, frightful
español Spanish
especial special
especialidad specialty
especialista specialist
específico specific
espectáculo spectacle
espectador *m.* spectator
espejo mirror
esperanza hope
esperar to hope; to wait; to expect
espeso thick
espiar to spy; to be on the lookout for
espiral spiral, winding; *f.* spiral
espíritu *m.* spirit, ghost
espiritual spiritual
espiritualidad spirituality, liveliness, suceptibility
espuela spur
esquina corner
estación station, season
estadística statistics
estafar to defraud; to swindle
estancia room
estante *m.* shelf
estar to be; ——— por to be in favor of
estatua statue
estilo style
estimular to stimulate
estirar to stretch (out)
estómago stomach
estorbar to hinder; to obstruct
estrechar to tighten; to hug, to squeeze
estrecho narrow, close
estrella star
estudiante student
estudioso studious
estupefacto stupefied, dumbfounded
estupidez *f.* stupidity
estúpido stupid
estupor *m.* stupor, amazement
eterno eternal
Europa Europe
evaporar to evaporate; ———se to vanish
evidencia evidence
evitar to avoid
evocador evocative
evocar to evoke
evolucionar to change; to evolve
exactitud exactness, accuracy
exacto exact, faithful, complete
examinar to examine; to look over
excéntrico eccentric
excesivo excessive
excitar to arouse; to excite
exclusivo exclusive
existir to exist
éxito end, success
expectación expectation, expectancy
experiencia experience, experiment
experimentar to experience; to feel
explicación explanation
explicar to explain
explotar to exploit
exponer to expose; to explain
expresión expression
exquisito exquisite, excellent
extasiar to enrapture
extender to stretch out; to spread
exterminar to exterminate
externo external, outside
extranjero foreign, foreigner; por el ——— abroad
extraño strange, rare
extravagancia extravagance, folly
extremado extreme, excessive

fábrica factory
facción feature (facial)
fachada façade
fácil easy, loose, wanton
falda skirt, fold, slope
falso false
falta lack, mistake
faltar to need, to lack; ¡no faltaba más! That's the limit! The very idea!

fama fame, reputation
familia family
familiar domestic, homelike, familiar, plain
familiarizar to familiarize
fanático fanatic
fantasma *m.* phantom
farmacia pharmacy, drugstore
farol *m.* street lamp
farsa farce, absurdity
fascinar to fascinate
fase *f.* phase
fastidiar to annoy; to bore
fatalista fatalist, fatalistic
favor *m.* favor; por ——— please
fe *f.* faith
febril feverish
felicidad happiness
feliz happy
femenino feminine
feroz ferocious
ferrocarril *m.* railroad, railway
fértil fertile
ferviente fervent
fiebre *f.* fever
fiel faithful
fiera wild animal
fiesta feast, festival, festivity, celebration
figura figure, face, countenance
figurar to figure, to represent; ———se to imagine
fijarse to imagine; ——— en to notice
fijo fixed
fila row, line
filarmónico philharmonic
filosofía philosophy
filósofo philosopher
filtrar to filter; to disappear
fin *m.* end; al ——— finally; por ——— finally
final *m.* end
fino fine, delicate, thin, slender
firme firm, hard
física physics
fisionómico facial
flaco weak, thin
flecha arrow
flor *f.* flower, blossom; en ——— in bloom
florecer to flower; to bloom
florido flowery, elegant
fondo back, depth, bottom, background
forastero outsider, stranger
forma form, way
fortuna fortune
fotografía photograph
fotógrafo photographer
fracaso failure, collapse
francés French, Frenchman
franco frank, open
franqueza frankness, ingenuousness
frasco bottle, flask
frase *f.* phrase, sentence
fraternidad fraternity
frecuencia frequency; con ——— frequently
frecuente frequent
freír to fry
frente *f.* forehead; ——— a ——— face to face; ——— a in front of
frescar *m.* freshness; coolness
fresco fresh, cool
frescura freshness, coolness
frívolo frivolous
frotar to rub
frustrar to frustrate; to thwart
fruta fruit
frutal *m.* fruit tree
fuego fire
fuelle *m.* bellows
fuente *f.* fountain
fuera out, outside; de ——— outside
fuerte strong, severe
fuerza force, strength, power; a ——— de by dint of
fugitivo fugitive, fleeting
fulgor *m.* brilliance, flash

fumar to smoke
fundir to fuse; to blend; to unite; to cast (metal)
fúnebre funereal, gloomy
furtivo furtive
futuro future

galán *m.* suitor
gana desire; **tener ganas de** + *inf.* to feel like
ganancia gain, advantage
ganar to gain; to win; to make (money)
garganta throat
gastar to spend; to waste; to wear out
gato cat
generación generation
género kind, sort, genre
generoso generous
genial inspired, brilliant, pleasant
genio temperament, genius, talent
gente *f.* people, servants, retinue
geometría geometry
germano German
gesto grimace, gesture
gitano gypsy
Goethe (1749–1832) German poet and thinker; one of the great men in world literature
golondrina swallow
golpe *m.* knock, blow; **de un ———** suddenly
golpecito tap
goma gum
gordo fat, greasy, coarse
gorra cap
gorrión *m.* sparrow
gota drop
gozar to enjoy; **——— de** to enjoy
gracia gracefulness, elegance, graciousness
gracias thanks, thank you
gracioso attractive, witty
gramática grammar
grato pleasing
grave grave, serious
griego Greek
gris gray
gritar to cry out; to shout; to scream
grotesco grotesque
guante *m.* glove
guardar to keep; to hide
guardia *m.* guard, policeman
guardián *m.* guardian
guardilla attic
guerra war
guía guide; **——— de teléfonos** telephone directory
guisar to cook
guiso stew, dish (food); seasoning
guitarra guitar
guitarrista guitarist, guitar player
gustar to be pleasing
gusto pleasure, taste; **a ———** to one's liking, at ease

haber to have; **hay, había, hubo,** etc. there is (are), there was (were), etc.; **——— que** + *inf.* to be necessary (impersonal); **——— de** + *inf.* to be (supposed) to; **he aquí** here is, this is
habitar to inhabit; to occupy
hábito habit
hace ago
hacer to do, to make; **———se** to become; **hacérsele a uno** to seem . . . to one; **no ——— ni fu ni fa** to pay no attention
hacia to, toward
harmonía harmony
hartar to gratify; to satisfy
hasta *adv.* even; *prep.* until, till, to, up to
hay there is (are); **¿qué ———?** What's the matter?
he aquí here is, behold
hechicero bewitching, enchanting
hecho fact, deed, event

Hegel (1770–1831) German philosopher
helar to freeze
helecho fern
heliotropo heliotrope
henar *m.* hayfield
herir to hurt; to wound
hermana sister
hermoso beautiful
héroe *m.* hero
hidalgo noble, illustrious
hidrógeno hydrogen
hierba grass, herb
hierro iron
hígado liver
hija daughter, child
hijo son, child
hinojos de ——— on one's knees
hipócrita hypocritical; *m.* and *f.* hypocrite
historia history
historiador historian
hogar *m.* hearth, home, house
hoja leaf, blade
¡hola! hello! also, a shout to draw someone's attention
hombre man; *excl.* you don't say! gosh!, etc.
hombro shoulder
honrado honorable, honest
honrar to honor
hora hour; a **primera** ——— very early
horizonte *m.* horizon
horroroso horrid, horrible
hostil hostile
hoy today
huelga strike
huelguista *m.* person on strike
huerta vegetable garden
huerto orchard, garden
huevo egg
humanidad humanity
humedad humidity, dampness
húmedo wet, damp
humildad humility
humilde humble
humillar to humiliate; to humble
humo smoke
hundir to sink; to overwhelm; to destroy

idioma *m.* language, dialect
iglesia church
igual equal
igualar to equalize; to make equal
igualdad equality
iluminado lighted
ilusión illusion
ilustre distinguished, illustrious
imagen *f.* image
imbécil imbecile
imitar to imitate
impaciente impatient
imparcial impartial
impedir to prevent, hinder
imperativo imperative, dictatorial
imperfecto imperfect, imperfect tense
impermeable *m.* raincoat
impertinencia impertinence
implorar to implore
importar to be important; to matter
imprenta printing shop, press
impresión impression, idea
impresionar to make an impression; to impress
impresionista impressionistic
impulso impulse
impuro impure
inasequible inaccessible
incertidumbre *f.* uncertainty
inclinar to incline; to slope; to induce
incomprensión incomprehension
inconveniente *m.* obstacle, difficulty; **tener** ——— **en** to object, to mind
incorporación association
incorporarse to sit up; ——— **a** to join
increíble incredible
incrustar to incrust
inculpar to blame; to accuse
indefectible unfailing, indefectible

indemnización indemnity
indicar to indicate
indiferencia indifference
indigestión indigestion
indigno unworthy, contemptible
indio Indian
indudable indubitable, certain
indulgencia indulgence, remission of sins
inexplicable unexplainable, inexplicable
infancia infancy
infantil infantile, childlike
inferior inferior, lower
infernal infernal
infinito infinite
influir to influence; to have an influence on
información information, report, investigation
informar to inform; to advise; to report
ingenio talent, skill
ingenuidad ingenuousness
ingenuo ingenuous, sincere, candid
Inglaterra England
inglés English, Englishman
inmensidad immensity, infinity
inmenso immense
inmortal immortal
inmóvil motionless
innato innate
inocencia innocence
inquilino tenant
insensible insensitive, unfeeling, unaware
insinuar to insinuate; to interrupt
insistir to insist
insolente insolent
inspirar to inspire, to instill; ———**se en** to be inspired by
instalar to install
instinto instinct
instrucción instruction
insultar to insult
intacto intact, undamaged
intelecto intellect
inteligencia intelligence, understanding
intenso intense, deep
intentar to attempt; to try, to intend
interceptar to intercept
interés *m.* interest
interpretar to interpret; to play
interrumpir to interrupt
íntimo intimate
intriga intrigue
introducir to introduce; to lead in
intuición intuition
inútil useless
invasión invasion
inventar to invent
investigación investigation, research
invierno winter
involuntario involuntary
ir to go; **¡vamos!** come on, let's see; **no les va bien** things aren't going well with them; ——— **de visita** to pay a visit
ironía irony
irritado irritated, irritable
irritar to irritate
italiano Italian
izquierdo left; **a la izquierda** to the left, on the left

jabón *m.* soap
jaca pony
jamás ever, never
jamón *m.* ham
japonés -esa Japanese
jardín *m.* garden
jinete *m.* horseman, rider
joven young
jovial jovial
júbilo joy, rejoicing
judío Jewish; *m.* Jew
jugar to play; ———**se** to gamble, to risk
juicio judgment, wisdom
juicioso judicious, wise
junto next
juramento oath

jurar to swear
justicia justice
justificar to justify
juvenil juvenile, youthful
juventud *f.* youth

Kant (1724–1804) German philosopher

labio lip
laboratorio laboratory
ladear to tilt; to lean
lado side, direction; **de un ———** on the one hand
ladrillo brick
lago lake
lágrima tear
lamentable lamentable
lamer to lick
lance *m.* critical moment, incident, episode, event
lanzar to throw; to hurl; **———se** to dash
largo long, abundant
lástima pity; **es ———** it's a pity
latido beat, throb
latino Latin
laurel *m.* laurel
lavabo washroom, lavatory
lavar to wash
lazarillo (blind man's) guide
lecho bed
lector reader
lectura reading
leer to read
lejanía distance, remoteness
lejano distant
lengua language, tongue
lenguaje *m.* language, idiom, speech
lento slow
león *m.* lion
levantar to raise; **———se** to get up
leve light, slight
libertad liberty, freedom
librar to free, liberate
librería bookstore
librero bookseller
ligero light, slight
limpiabotas *m.* bootblack, shoeshine boy
limpio clean
linaje *m.* lineage, offspring
lindo pretty
línea line
lista list
listo ready, clever
literario literary
literato literate; *m.* learned man, literary man
lo de the matter of
loco mad
locura madness
lodo mud
lógica logic
lógico logical
lograr to get; to obtain; to succeed
Londres London
lontananza far horizon
lucha fight, struggle
luchar to struggle; to fight
lucir to shine
luego then, well then, next, soon; **——— que** as soon as; **desde ———** of course, naturally
lugar *m.* place; **tener ———** to take place; **en primer ———** first, in the first place
luna moon
luz *f.* light, learning

llamar to call; to knock
llano flat, level; plain, clear
llanto weeping, crying
llanura plain
llave *f.* key
llegada arrival
llegar to arrive; **——— a + *inf.*** to get to, to succeed in
llenar to fill; to satisfy
lleno full
llevar to carry, to take, to keep, to wear; **———se** to get along
llorar to cry

llover to rain
lluvia rain

macizo flower bed, clump, mass
madera wood, timber, lumber
madrugada dawn
maestra teacher
maestro teacher, master
magnífico magnificent
magno great
mal badly; *m.* evil, harm, wrong
maldito cursed
maleta suitcase
malo bad
maltratar to mistreat
mamar to suck; to nurse
manchar to spot; to stain
mandar to order; to send
mandato mandate, command
mandíbula jaw
manejar to manage; to handle
manera manner, way; **de una** ——— in a way
manía mania; fixed idea
mano *f.* hand
manso gentle, tame
manto cloak, mantle
manuscrito manuscript
manzano apple tree
mañana morning, tomorrow; **muy de** ——— very early
mapa *m.* map
máquina machine, typewriter; ——— **de escribir** typewriter; **por** ——— mechanically
mar *m. and f.* sea
maravilla wonder, marvel; **hacer maravillas** to do wonders
maravilloso marvelous, wonderful
marcar to mark; to stress
marchar to go; to run; ———**se** to go, to leave
mareo seasickness, dizziness
marfil *m.* ivory
marido husband
martillo hammer
mas but
más more; ——— **bien** rather; **por** ——— **que** + *subjunctive* no matter how much; **no . . .** ——— **que** only
masa mass, common people
mascar to chew
masticación chewing
material material, physical
matrimonio marriage
máxima maxim
mayor greater, greatest
mecánico mechanical
mecanógrafo typist
mecer to swing; to rock
mediano moderate, medium
medianoche *f.* midnight
medicina *f.* medicine
médico doctor
medio means, way, environment, half, middle, midway; **por** ——— in between
mediocre mediocre, medium
meditación meditation
meditar to meditate
meditativo meditative
mejilla cheek
mejoría improvement
melancolía melancholy
melancólico sad, melancholy
melífluo mellifluent
memoria memory
mendigo beggar
menor least
menos less, fewer, least, except; **(por) lo** ——— at least
mensaje *m.* message, errand
mensajero messenger
menudo small; **a** ——— often
merecer to deserve; to merit
mesa table
metafísico metaphysician
meter to put; to place
método method
mezcla mixture, blend
microscópico microscopic
mientras while, as long as
milagro miracle
millar *m.* thousand
millón *m.* million

millonario millionaire
ministerio ministry, government department
minuto minute
mirada look, glance
mirar to look at; to look
miserable miserable, wretched, mean
miseria wretchedness, poverty
misericordia mercy
mismo same, very, self; **lo ——— que** the same as
misterio mystery
misterioso mysterious
mitad half
moda fashion, mode, style
modestia modesty
modesto modest
modificar to modify; to change
modo way, manner; **de ——— que** so that; **de un ———** in (such) a way; **de este otro ———** something else; **de malos modos** in an unfriendly way
modular to modulate
mojado wet, soaked
molde *m.* mold, form, model
moler to grind; to consume; to waste
molestar to disturb; to bother
molestia annoyance, bother; **tomar la ———** to take the trouble
molesto annoying
momento moment; **por momentos** at any moment
moneda coin
monólogo monologue
monotonía monotony
montaña mountain
monte *m.* mountain, woods
moral moral, ethical
morder to bite
moreno dark
moribundo dying
morir(se) to die
mortificar to mortify; to torment
mosca fly
mostrador *m.* counter, bar
mover to move
muchedumbre *f.* crowd, mob
mudo silent
muela molar tooth
muerte *f.* death
mujer woman, wife
mundo world; **correr ———** to travel
munición munition, supplies
muralla wall
muro wall

nacer to be born, to be
nacimiento birth
nacional national
nada nothing; **——— más que** nothing but
nadar to swim, to float
nadie nobody
naranja orange
naranjo orange tree
nariz *f.* nose, nostril
narración narration
narrador *m.* narrator
naturaleza nature
navegar to sail
Navidad Christmas
necedad foolishness, stupidity
necesidad necessity
necesitado needy, poor person
necesitar to need, to necessitate; **——— de** to have need of
negar to deny
negocio business, deal
negocios business
negro black
nervio nerve
neumático tire
nevada snowfall
nevar to snow
neworleansiano of New Orleans
ni neither, nor, not even
nido nest
niebla fog, mist
nieto grandson, grandchild
nieve *f.* snow
ninguno no, none

niña child, girl, darling
niño child, boy
noche *f.* night; de ——— at night
Nochebuena Christmas Eve
nombre *m.* name
Noruega Norway
nota note, mark, grade, memorandum
notable notable, trustworthy
notar to notice
noticia news, notice, information
novedad something new, change
novela novel, story
novia sweetheart, fiancée, bride
novio sweetheart, fiancé, groom
nube *f.* cloud
nublado cloudy
nuevo new; de ——— again
número number

obedecer to obey
objectivo objective
obligar to oblige
obra work, writings
obrar to work; to perform; to execute
obsesionar to obsess
obstinado obstinate
obstinarse to be obstinate; to persist
ocasión occasion, opportunity
océano ocean
octogenario octogenarian
ocultar to conceal
ocupar to occupy; ———se de to be busy with, to pay attention to
ocurrir to occur; to happen
odiar to hate
ofender to offend; to bother
oficial *m.* officer
oficio work, occupation, office, function
ofrecer to offer
oír to hear; ——— hablar de to hear about; ——— decir que to hear that
ojo eye
ola wave
olor *m.* odor
olvidar to forget
olvido forgetfulness, oblivion
ondulación wave, wave motion
opaco opaque, sad
operación operation
operar to operate
opio opium
oponer to offer (*e.g.*, resistance); to oppose (one thing to another)
opresión oppression
orden *m.* order
ordenar to order; por ——— in order
oreja ear, flange
orgullo pride
orgulloso proud, conceited
originario original, primary
orilla bank, shore, edge
oro gold
orquesta orchestra
oscuridad darkness, obscurity
oscuro dark
ostensible ostensible, evident
otoño fall, autumn
otro other, another
óvalo oval

pabellón *m.* pavilion, building
paciencia patience
padre father
paganizar to paganize
pagar to pay
pagoda pagoda
país *m.* country
paisaje *m.* landscape, countryside
pájaro bird
palabra word
palacio palace
palidez *f.* paleness, pallor
pálido pale
paliza beating
palo stick, whack, blow
paloma pigeon, dove
palpar to touch; to feel; to grope
pan *m.* bread

pañuelo handkerchief, shawl
papel *m.* paper, role, part
paquete *m.* package, bundle
para for, by; ——— sí to oneself
paradoja *f.* paradox
paraguas *m.* umbrella
paraíso paradise
parar to stop; ———se a + *inf.* to stop (doing something)
pardo brown, dark gray
parecer to seem; to appear; parecerse a to resemble; a su ——— in your opinion; ¿qué (tal) le parece . . . ? What do you think of . . . ?
parecido resembling, like, similar
pared *f.* wall
paréntesis *m.* parenthesis
París Paris
parlamentario parliamentary
parque *m.* park
párrafo paragraph
parte *f.* part; por otra ——— on the other hand; de vuestra ——— on your part; la mayor ——— de most of
partir to leave; to set out
parto childbirth
pasado past
pasajero fleeting, transitory
pasar to pass, to spend, to happen; ¿qué le pasa? What's the matter?; pase come in
pasear to stroll, to walk; ———se to take a walk, to stroll
pasión passion, ardent feeling
paso step
pata foot of animal, paw
paterno paternal
patético pathetic
patriarcal patriarchal
pausa pause
pavoroso frightful
paz *f.* peace
pecado sin
pecho breast, chest, heart
pedazo piece
pedir to ask; to request
pedregoso stony, rocky
pegar to hit; to stick
pelea fight, quarrel
peligro danger
pelo hair; tomar el ——— to make fun of, to kid
pena pain, hardship, sorrow
pender to hang; to dangle
pensamiento thought
pensar to think
peor worse, worst
pequeño small
pera pear
perder to lose
perezoso lazy
perfecto perfect
perfilar to profile; to outline
perfumado perfumed
perfume *m.* perfume
periódico newspaper
periodismo journalism
periodista *m.* newspaperman, journalist
perla pearl
permanecer to remain
permiso permission; con ——— excuse me
perra suerte hard luck
perro dog
perseguir to pursue
personaje *m.* character (in a play, story)
perspectiva prospect, perspective
pertinaz pertinacious, obstinate
pesado heavy, tedious
pesadumbre *f.* sorrow, affliction
pesar *m.* grief; a ——— de in spite of
pesar to weigh; to cause regret or sorrow
pescar to fish; to fish for
peso weight
pétalo petal
Petrarca Petrarch (1304–1374), great Italian poet and humanist
pez *m.* fish
picacho peak

pie *m.* foot; en ——— standing, up and about; de ——— standing
piedad piety, pity, mercy
piedra stone, rock
piel *f.* leather, skin
pierna leg
pieza piece, musical composition
pintar to paint; to portray
pintor *m.* painter, artist
pintoresco picturesque
piso floor, story (of a building)
pitillo cigarette
placer *m.* pleasure
planta floor
plantado: dejar ——— to jilt; to leave in the lurch
plata silver
platónico Platonic
plaza square
plebiscito plebiscite
plenamente fully, completely
plomar to seal with lead
pluma pen, feather
poco little; *plural* few
poema *m.* poem
poesía poetry
poeta *m.* poet
política politics
político politician
polonés Polish; *m.* Pole
polvo dust
polvoriento dusty
poner to put; ———se a + *inf.* to begin to, to start to
pontífice *m.* pontiff
por by, for, through, along, because of
porcelana porcelain
porfía obstinacy, persistence
pormenor *m.* detail
portal *m.* entry, vestibule
portentoso miraculous, marvelous
portera janitress
porvenir *m.* future
posar to perch; to put; to put down
poseer to possess
posesión possession
posible possible
postal *f.* postcard
postulado postulate, doctrine
práctica practice, skill, experience
pradera meadow, pasture land
precioso precious, pretty
precipitadamente hastily, hurriedly
precipitar to precipitate, to hasten
precisamente precisely; at the same time
preciso necessary, precise
predominar to predominate; to stand out
preguntar to ask
prematuro premature
prendedor *m.* brooch
prender to grasp
preocupacióñ preoccupation, worry
preparativo preparation
preparatorio preparatory
presencia presence
presentar to present; to appear
pretensión presumption, effort
pretérito past; preterit tense
pretexto pretext, excuse
prevalecer to prevail
primavera Spring
primero first, in the first place
primitivo primitive, original
primo cousin
príncipe *m.* prince
principiar to begin
pro profit, benefit; en ——— de in favor of
probar to prove; to test
procurar to try; to strive for
producto product
profano profane, worldly
profesión profession
profundo profound, deep
progresar to progress
progreso progress
prohibir to prohibit; to forbid
prólogo prologue
prometer to promise
prominente prominent, outstanding

promontorio promontory
pronto soon; **de ——** suddenly
propiedad property
propietario owner
propio proper; same; himself, herself, etc.
propósito purpose, intention
prosa prose
protagonista *m. and f.* protagonist, principal character
proteger to protect
protestar to protest
proverbio proverb
provincia province
provinciano provincial
provocativo provocative, tempting
próximo next, near, close
prudente prudent
prueba proof, test, trial
prusiano Prussian
psicología psychology
psicológico psychological
psicólogo psychologist
público public, people
pueblo town, village, people, nation
puerta door
puerto port, mountain pass
pues then, well, well then
puesto place, post; **—— que** since
pulsera bracelet
pulso pulse
punta point, tip
pupila pupil (of the eye)
puro pure

que who, whom, which, that; for, because
quebrantar to break
quedar(se) to remain; to stay
quejar to complain, to lament; **——se de** to complain about or of
quemar to burn
querer to wish, to want, to love; **—— decir** to mean
querido dear
químico chemical
quitar to remove; to take away; to clear
quizá(s) perhaps

rabioso mad, furious
radiante radiant
rama branch
ramo branch, cluster, bouquet
rapidez speed
rápido swift, rapid
raro rare, strange, odd
rasgo trait, characteristic
rato (short) time, while; **a ratos** from time to time
ratón *m.* mouse
rayo beam, ray of light
raza race, lineage
razón reason; **tener ——** to be right
razonable reasonable
razonar to reason
real real
realidad reality; **en ——** really, truly
realizar to realize; to fulfill; to perform
rebaño herd, flock
recelo fear, misgiving
recién recently; **—— casado** newlywed
reciente recent
recoger to pick up; to gather; to remove
recomendable commendable
recomendar to recommend
reconfortar to strengthen; to enliven
reconocer to recognize
recordar to remember
recorrer to run over; to go through
recostar to lean
recreo recreation, recess (school)
recto straight, right, honest
recuerdo memory, remembrance
redactar to edit; to write; to draw up

redactor *m.* editor, writer
redondo round
reflejar to reflect
reflexionar to reflect; to think
reformar to reform; to mend; to improve
refulgir to shine
regalar to give; to treat
regenerar to regenerate
regla rule
regocijarse to rejoice
regresar to return
regreso return
regular fair, so-so, regular
rehusar to refuse; to reject
reina queen
reinar to rule; to reign
reino kingdom
reír to laugh
rejuvenecer to rejuvenate
relatar to relate; to narrate
relato story, narration
religioso religious
reloj *m.* watch, clock
remascar to chew again
remediar to remedy; to help; to prevent
remedio remedy, help; **no tener ———** to be unavoidable
remordimiento remorse
remoto remote
rendija crack, split
rendir to subdue; to surrender; **———se** to yield
renovar to renovate; to remodel
renunciar to renounce
reñir to quarrel
reparar to notice
reparo doubt, objection; **tener ———** to be bashful
repasar to pass again
repente *m.* start; **de ———** suddenly
repetir to repeat
replicar to answer
reponerse to recover
reposar to repose; to rest
reposo repose, rest
representar to represent; to act; to play
reprimenda reprimand
reprimir to repress
reproche *m.* reproach
repugnancia repugnance, antipathy
resbaladizo slippery
reservar to reserve
resignación resignation
resistir to resist; to bear; to withstand
resonar to resound
respecto relation, respect; **——— a** with respect to
respeto respect
respetuoso respectful
respiración breathing
respirar to breathe
resplandecer to glisten; to gleam; to shine
resplandor *m.* light
responder to answer; to correspond
resto rest
restorán *m.* restaurant
resuelto resolute, determined, quick
retener to retain; to hold back
retirar(se) to retire; to witdraw
retórica rhetoric
retorno return
retrasar to delay; to put off
retrato portrait, photograph
retroceder to back away
reuma *m. and f.* rheumatism
revelar to reveal
reventar to smash; to burst
reverente reverent
revista magazine
revolución revolution
revolver to turn around; to disturb
rey *m.* king
rezar to pray
rincón *m.* corner
río river
robar to steal
roca rock
rodar to roll; to rotate

rodear to surround; to encircle
rodeo detour, evasion
rodilla knee
rogar to ask; to beg
rojo red
romano Roman
romántico romantic
romper to break
rondar to go around; to prowl
ropa clothes
rosa rose
rosado rose-colored
rosbif *m.* roast beef
roso red
rostro face
rubio blond, fair
ruego request, entreaty
rufián *m.* scoundrel, ruffian
ruido noise
ruidoso noisy
ruiseñor *m.* nightingale
rumbo course, direction
rumor *m.* rumor, murmur, sound
Rusia Russia
ruso Russian

saber to know
sabio wise, learned; *m.* learned man, scholar
saborear to flavor; to taste
saboteador *m.* saboteur
sacar to take out; to draw out; to bring forth
sacerdote *m.* priest
sacrificar to sacrifice
sacrificio sacrifice
sacro sacred
sagrado sacred, holy
sala living room, drawing room
salida exit, departure, way out
salir to leave; to go out
salmo psalm
salón *m.* large hall or room
salpicar to spatter; to sprinkle
saludable healthful
salvar to save
sanar to heal; to cure; to recover
sangrar to bleed
sangre *f.* blood
sano sound, healthy, good
santo saintly; *m.* a saint
Schopenhauer (1788–1860) German philosopher
seco dry
secreto secret
sed *f.* thirst
seductor seducer; *adj.* seductive, captivating
seguida succession, series; en ——— immediately
seguir to follow; to continue
según according to
seguridad surety, safety, confidence
seguro sure, certain; de ——— surely
selecto select, choice
sello stamp
semana week
semejante similar, such
semioculto half-hidden
sencillo simple
senda path
seno chest, bosom
sensación sensation
sensible sensitive, perceptible
sensitivo sensitive, sensual
sensual sensual, sensuous
sentar to seat; ———se to sit down
sentido meaning
sentimentalismo sentimentality, sentimentalism
sentimiento feeling
sentir to feel; to regret
señal *f.* signal
señalar to show; to point out
señor sir, lord, gentleman, master
señorial seignioral, noble
señorita mistress
señorito master
separar to separate
ser to be; sé be (command); *m.* being, person
sereno serene, calm, sober
seriedad seriousness

serio serious
serpentear to wind
servicio service
servidumbre *f.* servitude
servir to serve; ——— para to be used for; para ——— le at your service
severidad severity
sexo sex
sí yes, indeed (adds emphasis to a verb)
siempre always
sierra mountain range
siglo century
significado significance
significar to signify; to mean; to indicate; to be worth
significativo significant
signo sign, symbol
siguiente following
silbar to whistle
silbido whistle
silencio silence
silencioso silent
silla chair
sillón *m.* armchair, easy chair
simbolista symbolist
simbolizar to symbolize
simétrico symmetrical
simpatía sympathy, liking, friendliness, congeniality; tener grandes ———s to get along
simpático likable, pleasant
simultáneamente simultaneously
sin without
sincero sincere
siniestro sinister
sino but (rather)
sintético synthetic
siquiera even, scarcely; ni ——— not even
sistema *m.* system
sitio place, location
situar to situate
soberbio proud, superb
sobre on, above
sobremanera exceedingly
socialismo socialism
sociología sociology
sol *m.* sun
solar solar
soldado soldier
soledad solitude, loneliness
solemne solemn
soler to be accustomed to
solicitar to silicit, ask
solidaridad solidarity
solitario solitary
solo alone, single, only, sole
sólo only
sollozo sob
sombra shade, darkness, shadow
sombrero hat
sombrío somber, dark, gloomy
someter to submit; to subject
sonar to sound; to ring
soneto sonnet
sonreír to smile
sonriente smiling
soñar to dream; ——— con to dream of or about
soplar to blow
sórdido sordid, dirty
sorprender to surprise
sorpresa surprise
sosegado calm, peaceful
suave smooth, soft, mellow, suave, gentle
subir to go up; to take up
súbito sudden; de ——— suddenly
subjetivo subjective
suceder to happen
sucio dirty
suelo ground, floor
sueño dream, sleep
suerte *f.* luck, fortune
suficiente sufficient
sufrir to suffer
sugestión suggestion
suicida *m.* suicide
sujetar to fasten; to hold
suntuoso sumptuous
supersticioso superstitious
suponer to suppose
supremo supreme

supuesto past participle of suponer; **por ———** of course
suspirar to sigh
sustantivo substantive, noun
sustituir to substitute; to replace
sutil subtle, thin, cunning, keen

taberna tavern, saloon
tabernero saloonkeeper
tabla board, plank
tal such, so, as; **——— cual** such as; **——— vez** perhaps
tampoco neither, nor
tan so; **tan . . . como** as . . . as
tanto so much; **en ———** while; **tanto . . . como** as much . . . as
tardar to delay; to be late
tarde *f.* afternoon; **buenas tardes** good afternoon, good by; *adv.* late
taza cup
tejado roof
telaraña cobweb
telegrama *m.* telegram, dispatch
tema *m.* theme
temblar to tremble
temor *m.* fear
temperatura temperature
temporada season, period, spell
tendencia tendency
tender to spread, to reach out; **——— a +** *inf.* to tend to
tener to have; **——— calor** to be warm; **——— curiosidad** to be curious; **——— frío** to be cold; **——— hambre** to be hungry; **——— horror a** to have a horror of; **——— inconveniente** to object; **——— la bondad** please; **——— miedo** to be afraid; **no ——— remedio** to be unavoidable; **——— razón** to be right; **——— reparo** to be bashful; **——— sed** to be thirsty
tentación temptation
tentador tempting; temptor
teñir to dye; to shine; to polish
terminar to end; to finish
terreno terrain, land, ground
tesoro treasure
tétrico gloomy, sullen, dark
tiempo time, weather; **a ———** on time; **al poco ———** soon, shortly; **al mismo ———** at the same time; **¿qué tal ——— hace?** what's the weather like?
tienda store, tent, shop
tierno tender, delicate
tierra land, ground, earth
timbre *m.* stamp, seal
tímido timid
tinieblas *f.* darkness
tinta ink
tío uncle
típico typical
tipo type, kind, model; (*coll.*) fellow, guy
tirar to throw, to draw, to pull; **——— a** to resemble, to approach
titular to entitle
título title
tocar to touch; to ring (a bell); to play (an instrument); **tocarle a uno** to be one's turn, to fall to one's lot
todavía still, yet
todo all, everything; **——— el mundo** everybody
tolerante tolerant
tomar to take, to have (beverage); **——— a mal** to take offense at
tomate *m.* tomato
tono tone
tontería foolishness, nonsense
tonto foolish, stupid; *m. and f.* fool, dolt
torerillo young bullfighter
torero bullfighter
tormenta storm, tempest

tornar to return, to turn; ——— **a** + *inf.* to do something again
torno turn; **en ——— de** turn around
toro bull
torpe stupid, dull, slow
torre *f.* tower
torrencial torrential
torrente *m.* torrent, avalanche
tostar to burn; to tan
trabajar to work
trabajo work
tradicional traditional
traducir to translate
traer to bring
tragar to swallow
trágico tragic
trago swallow, drink
traje *m.* suit
trance *m.* critical moment
tranquilo calm, quiet
transmitir to transmit
transparente transparent
trascendencia importance, transcendence
traslúcido translucent
trastornar to upset; to disturb
tratar to treat; **———se de** to be a question of, to deal with
trato treatment
través misfortune, reverse; **a ——— de** through
travieso mischievous
trémulo trembling
triste sad
tristeza sadness
triunfar to triumph
triunfo triumph
tronco trunk
tropezar to hit, to stumble; **——— con** to run into, to encounter
tumba tomb, grave
túnica tunic
turbador disturbing
turbar to disturb; to trouble
turbulento turbulent
turco Turkish; *m.* Turk
Turquía Turkey

últimamente lately, recently
último last, latest
ulular to howl
único unique, only, sole
unir to unite; to join
unísono **al ———** in unison
usado worn out, used, second-hand
usar to use
utilidad utility, usefulness
utilizar to utilize; to use
uva grape

vaciar to empty
vacilar to hesitate
vacío empty; *m.* emptiness
vagar to wander; to be idle
vago vague, lazy
valer to be worth; **——— la pena** to be worth while; **——— más** to be better
valeroso valiant
valor *m.* value, worth, validity
vals *m.* waltz
valle *m.* valley
vanidad vanity
vano vain; **en ———** in vain
variar to vary; to change
vario various, varied
vasco Basque
vaso glass
vasto vast, hugh
¡vaya! well! look here! what (a)!
vecino neighbor, resident, tenant
vega plain
vegetal vegetal, plant
vehículo vehicle
vela vigil, candle
velar to keep vigil; to watch over
vena vein
venda bandage, blindfold
vendar to bandage; to cover the eyes

vender to sell
venir to come
ventaja advantage, gain, profit
ventana window
ventura happiness, luck
ver to see; **a ———** let's see
verano summer
veras de ——— really
verdad truth; **de ———** real
verdadero true, real, actual
verde green
verdura verdure, greenness
vereda path
verso verse, poetry
vertir to pour; to shed
vespertino evening
vestíbulo vestibule, lobby
vestir to dress; **———se** to get dressed
vez *f.* time; **de una ———** once and for all; **en ——— de** instead of; **tal ———** perhaps; **hacer las veces de** to serve as; **a veces** at times; **de ——— en cuando** from time to time
viajar to travel
viaje *m.* trip, voyage, travel
viajero traveler
vibrar to vibrate
vicio vice
vicioso vicious, harmful, overgrown
vida life
viejo old
Viena Vienna
viento wind
vientre *m.* belly
vino wine
violencia violence; **con ———** violently
violeta violet
virgen new, chaste
virtud virtue, power, habit, disposition
virtuoso virtuous
visión vision
visita visit; **hacer una ——— a** to pay a visit to, to visit
visitante *m.* visitor
vista view, sight, scene; **de ———** by sight
viudo widower
vivaracho vivacious, lively
vivificar to animate; to enliven
vivir to live; **¡viva!** long live
vivo alive, lively, vivid
vocación vocation
volar to fly
volumen *m.* volume
voluntad will
voluptuosidad voluptuousness
voluptuoso voluptuous, voluptuary
volver to return; **——— a +** *inf.* to do something again; **——— en sí** to regain consciousness; **———se** to turn into; to become; to return; to turn
voto vote
voz *f.* voice, shout, cry
vuelo flight
vuelta turn, return; **dar vueltas** to circle, to walk around; **dar la ——— a** to take a walk around
vulgar vulgar, coarse

Wagner (1813–1883) German composer

ya already, now; **——— no** no longer; **——— que** since, inasmuch as

zapato shoe
zona zone